W. Clement Stone
Infalível

Título original: *The Success System That Never Fails*

Copyright © 2011 by The Napoleon Hill Foundation

Infalível: Um sistema de sucesso à prova de erros
1ª edição: Fevereiro 2022

Direitos reservados desta edição: CDG Edições e Publicações

O conteúdo desta obra é de total responsabilidade do autor
e não reflete necessariamente a opinião da editora.

Autor:
W. Clement Stone

Tradução:
Adriana Krainski

Preparação de texto:
3GB Consulting

Revisão:
Caroline Alves e Iracy Borges

Projeto gráfico e capa:
Jéssica Wendy

DADOS INTERNACIONAIS DE CATALOGAÇÃO NA PUBLICAÇÃO (CIP)

Stone, W. Clement, 1902-2002
  Infalível : um sistema de sucesso à prova de erros /
W. Clement Stone. — São Paulo : Citadel, 2022.
  304 p.

  ISBN 978-65-5047-132-3
  Título original: The success system that never fails

  1. Sucesso 2. Desenvolvimento pessoal 3. Autoajuda
  4. Resiliência I. Título

22-1175   CDD 158.1

Angélica Ilacqua - Bibliotecária - CRB-8/7057

Produção editorial e distribuição:

contato@citadel.com.br
www.citadel.com.br

W. Clement Stone

Infalível

UM SISTEMA DE SUCESSO
À PROVA DE ERROS

2022

Sumário

Prefácio – *W. Clement Stone*   09
Pode mesmo haver um sistema que conduz ao sucesso?

Introdução – *Doug Wendt*   15

PARTE I – E COMEÇA A BUSCA

Capítulo 1 – *E começa a busca de um garotinho*   21
A busca do garoto continua... A ascensão... Decisões são importantes quando seguidas de ações... Quando sair em busca de algo, não volte sem consegui-lo... Pequenas dobradiças que abrem grandes portas

Capítulo 2 – *Prepare-se para o futuro*   31
Faça valer o seu dinheiro... Faça o dobro na metade do tempo... Pense por conta própria... Como superei a timidez e o medo... Como neutralizar a timidez e o medo... Saiba quando desistir... Como fazer alguém ouvir você... Jogue para ganhar... Por que estava escrito... O que isso significa para você... Pequenas dobradiças que abrem grandes portas

Capítulo 3 – *Seja seu próprio mestre*   43
Tudo está na mente... Realize um inventário de si mesmo... Ele desenvolveu um controle pessoal e se tornou seu próprio mestre... Força de vontade... Chega-se à alma por meio da mente... Derrube as paredes invisíveis... Seja seu próprio mestre... Pequenas dobradiças que abrem grandes portas

Capítulo 4 – *Não deixe seu futuro para trás*   57
O seu futuro ficou para trás?... Ele deixou o futuro para trás... Como convencer a si mesmo... Tente fazer a coisa certa porque é o certo... Da pobreza à riqueza... AMP e a insatisfação inspiradora... Aonde o Dr. Joe vai, Deus vai atrás... A bênção do trabalho... Pequenas dobradiças que abrem grandes portas

PARTE II – ENCONTRANDO O MAPA DO TESOURO

Capítulo 5 – *Triunfar dá menos trabalho do que fracassar* 71
Triunfar dá menos trabalho do que fracassar... Aprendi muito sobre pouco... Sucesso de curto prazo e fracasso de longo prazo... Faça o que você tem medo de fazer... A porta que eu temia se abriu para a oportunidade... Fracassos temporários, sucessos permanentes... Como encontrar o que você está buscando... Pequenas dobradiças que abrem grandes portas

Capítulo 6 – *Trilhe o caminho correto* 85
Quando precisar, saiba onde encontrar... Ele transformou a derrota em vitória... A prática supera as desvantagens... Não estará completo se faltar um... Do sucesso ao fracasso... Você tem garra – esse é você... Você não precisa ter todas as respostas... O ingrediente mais importante para o sucesso... Pequenas dobradiças que abrem grandes portas

Capítulo 7 – *Poder de ação* 97
Emoções confusas intensificam o poder de ação... A maior motivação de todas... Se você quer algo, corra atrás... Para motivar, toque a alma... A fé é a motivação sublime... A inspiração gera conhecimento e sabedoria... Seja sua própria motivação... Pequenas dobradiças que abrem grandes portas

PARTE III – UMA JORNADA ATRIBULADA

Capítulo 8 – *Selecionei uma excelente tripulação* 111
Tenha coragem de enfrentar o desconhecido... Construa uma base sólida... Um cachorro-quente e um copo de leite... Fique atento... Determinado a se multiplicar... Agarre a oportunidade que você criar... Peça conselhos a quem pode ajudá-lo... Nunca é tarde para aprender... Pequenas dobradiças que abrem grandes portas

Capítulo 9 – *Nós domamos a tempestade* 125
Não há nada a temer a não ser o próprio medo... Prepare-se para as emergências da vida... O propósito da vida é a própria vida... Prepare-se para a batalha... Aprenda com a experiência dos outros... Eu ataquei o meu problema... O que eu não sabia... A necessidade me fez agir... Tentativa e sucesso... Caráter-Atitude-Vontade de aprender... Atitudes criaram os decadentes... Pequenas dobradiças que abrem grandes portas

Capítulo 10 – *É fácil se você souber como* 141
O entusiasmo atrai... Eu tinha um problema... Um mapa para o sucesso... Para ter sucesso, escolha o seu ambiente... Transforme uma desvantagem em uma vantagem... A descoberta incrível... O registro de vendas... Pequenas dobradiças que abrem grandes portas

Capítulo 11 – *Misteriosas fontes de poder* 153
Suas preces foram atendidas... O homem com o cérebro-radar... Canais escondidos da mente... Previsões... Ciclos... Tendências de crescimento... Liberte-se das amarras... Pequenas dobradiças que abrem grandes portas

Capítulo 12 – *O destino da carne*   169
O bem que eu faria, eu não faço. O mal que eu não faria, eu faço... A insinuação é tentadora... A autossugestão afasta o mal... União... O traidor... Arme-se agora para resistir mais tarde... Pequenas dobradiças que abrem grandes portas

Capítulo 13 – *Como ir de onde você está até onde você quer chegar*   181
Se você quer um emprego, corra atrás dele... Vale a pena estudar, aprender e usar um sistema de sucesso... Ele tramou uma rede infinita... Um homem bom atrai outro homem bom... O livro mais estranho já escrito... Quem pensa enriquece... Um pedaço de carvão e algo a mais... O mapa do tesouro está completo... Uma filosofia viva... Pequenas dobradiças que abrem grandes portas

PARTE IV – DINHEIRO...
E AS VERDADEIRAS RIQUEZAS DA VIDA

Capítulo 14 – *Dinheiro e oportunidade*   199
Nossa grande herança... Como se constrói riqueza... Impostos são bons... A riqueza das nações... Doar para ganhar... Saldo negativo na balança de pagamentos... Como ganhar a Guerra Fria mais rápido... Você, o dinheiro e as oportunidades... Pequenas dobradiças que abrem grandes portas

Capítulo 15 – *Como acender o fogo da ambição*   211
Dê-lhe um motivo para viver... Como eu o motivei... Dê-lhe a oportunidade de realizar seus sonhos... Para motivar, romantize... Acenda o fogo da ambição com o *Sistema de sucesso Infalível*... Como ir melhor na escola?... Como conseguir um emprego... Pequenas dobradiças que abrem grandes portas

Capítulo 16 – *Homens não nascem talentosos, tornam-se talentosos*   227
Inteligência... Talento – aptidão – gênio – dom... Comentários dos especialistas... A motivação é de extrema importância... Conheça um gênio potencial... Você pode aumentar seu Q.I... Pequenas dobradiças que abrem grandes portas...

Capítulo 17 – *O poder que transforma o curso do destino*   239
Use o poder que altera o curso do destino... Use a cabeça... Um desejo propulsor o fez agir errado... Seu código moral não o impediu... Padrões altos previnem o crime...Padrões altos e invioláveis repelem sugestões malignas... Como desenvolver o poder que transforma o curso do seu destino... Pequenas dobradiças que abrem grandes portas

Capítulo 18 – *As verdadeiras riquezas da vida*   251
Quais são as verdadeiras riquezas da vida... J. Edgar Hoover... Eleanor Roosevelt... Eddie Rickenbacker... Governador S. Ernest Vandiver...Governador Michael V. DiSalle... Governador Buford Ellington... Governador John Anderson Jr... Governador Ernest F. Hollings... Governador John Dempsey... Governador Matthew E. Welsh... Governador Otto Kerner... Governador Elmer L. Andersen... Governador Norman A. Erbe... Governador Albert D. Rosellini... Governador Archie Gubbrud... Governador J. Millard Tawes... Governador Farris Bryant... Governador Elbert N. Carvel... Governador Richard J. Hughes... Governador Jack R. Gage... Governador F. Ray Keyser Jr... As belas artes e as verdadeiras riquezas da vida... Ele compartilha o amor pela música e encontra verdadeiras riquezas... Pequenas dobradiças que abrem grandes portas

PARTE V – E A BUSCA TERMINA

Capítulo 19 – *Indicadores de sucesso levam ao sucesso*   269
Primeiros indícios... O indicador Geisinger... Como associar e assimilar... Seu controle de tempo pessoal e o *Sistema de sucesso Infalível*... Não espere nada daquilo que você não controla... "La Fe"... Seja honesto consigo mesmo... Agora é com você... Pequenas dobradiças que abrem grandes portas

Capítulo 20 – *O autor revisa seu próprio trabalho*   287
Minha mente está aberta... Expanda seus horizontes... Livros de desenvolvimento pessoal mudaram sua vida... O disciplinador com um coração generoso... General David Sarnoff... Governador John A. Notte Jr... Governador Price Daniel... Governador Mark O. Hatfield... Irmã Joan Margaret... Porque eu amo meu povo... Pequenas dobradiças que abrem grandes portas... O esconderijo... Pequenas dobradiças que abrem grandes portas

Sobre o autor   299

Prefácio

Pode mesmo haver um sistema que conduz ao sucesso?

"Uma pequena gota de tinta faz milhares, talvez milhões, de pessoas pensarem", escreveu Lord Byron em *Don Juan*. E nos pensamentos desses milhões de pessoas, a busca pelo sucesso em suas vidas pessoais, familiares e profissionais sempre esteve em primeiro lugar.

Neste momento, em todos os cantos do mundo, há pessoas pensando em como chegar a um objetivo extraordinário e no que fazer para se aperfeiçoarem.

Muitas delas vão arrancar um segredo do fundo de suas almas que irá conduzi-las a grandes conquistas. Mas a maioria delas vai continuar imaginando, sonhando e desejando. E então, um dia, despertarão, chocadas, vendo-se paradas no mesmo lugar de onde sonhavam quando jovens. Perderam seus sonhos, e vão se perguntar por quê.

TODO MUNDO DESEJA ALGUMA COISA

Não importa o que seja: dinheiro, cargos, prestígio, alguma conquista especial, a oportunidade de servir aos seus semelhantes, amor, um casamento feliz, um bom lar: todos anseiam por algum tipo de satisfação e sucesso. Ser feliz, saudável, rico e experimentar as verdadeiras riquezas da vida – esses são desejos universais. Esses desejos internos nos inspiram a agir.

Você não é nenhuma exceção. Tem as mesmas oportunidades, como todas as outras pessoas, de todos os lugares, de prosperar ou fracassar nessa terra de oportunidades ilimitadas, onde muitos realizaram seus desejos e outros ficaram largados às margens da vida.

Por que uma pessoa prospera e outra fracassa? Existe uma resposta, e ela será encontrada neste livro.

Pois existem fórmulas, prescrições, receitas, regras, princípios, sistemas e até mesmo mapas do tesouro que, se seguidos na sequência correta, trarão coisas boas para a vida de quem as procura. Geralmente as regras para o sucesso são tão simples e tão óbvias que nem chegam a ser vistas. Mas quando você as procura, também poderá encontrá-las.

Durante a busca, algo maravilhoso acontece: você adquire conhecimento, acumula experiência e se inspira. Então, você passa a reconhecer os ingredientes necessários para o sucesso.

NESTA CASA

Aceitei um convite para visitar o Centro Kentuckiana para Crianças em Louisville, Kentucky. Eu soube que a Dra. Lorraine Golden, diretora do centro, havia aberto mão de um alto salário em sua clínica privada para usar seus talentos, experiência e auxílio de uma Força Superior para ajudar crianças com dificuldades em andar.

Ao caminhar pela clínica, percebi que o lugar era impecavelmente limpo. Parei quando vi uma garotinha sentada em uma cadeira.

– Qual é o seu nome? –, perguntei gentilmente.

– Jenny –, ela respondeu.

A mãe da garota estava sentada ali perto, então pedi que me falasse sobre Jenny.

A mulher me olhou nos olhos e disse: – Jenny tem seis anos. Nos primeiros quatro anos de sua vida, era deficiente, não conseguia andar. Não tínhamos dinheiro, então eu a trouxe para a clínica. A Dra. Golden me disse que Jenny tinha um bloqueio neural. E agora ela consegue andar.

A mãe estava hesitante. Percebi em seu rosto que ela tinha algo mais a dizer – algo pessoal. Então esperei.

– Sr. Stone... quero que você saiba... – e hesitou novamente. Então disse: – ... fora da minha igreja, esta é a única casa em que sinto a presença de Deus.

Ao falar isso, sua cabeça estava curvada, como se quisesse esconder suas emoções e talvez uma lágrima. Jenny, a criança que não conseguia andar durante seus quatro primeiros anos de vida, caminhou até sua mãe e deu-lhe um abraço e um beijo.

Caminhando pela clínica, percebi que foi o desejo propulsor da Dra. Golden que tornou Kentuckiana uma realidade – um desejo generoso, dedicado, altruísta, que não podia ser contido. Mas, para se tornar uma ação, o desejo deve ser unido a ambição e iniciativa.

O DESEJO É O PRINCÍPIO DE TODAS AS CONQUISTAS HUMANAS

Como podemos desenvolver ambição se não formos ambiciosos? Como desenvolver iniciativa se não a temos? Como motivar você mesmo ou outra pessoa a agir? Essas são perguntas que geralmente recebo de pessoas das mais variadas áreas de atividade: pais, professores, pastores, vendedores, gerentes de vendas, executivos, alunos de ensino médio e universitários.

– Primeiro, faça nascer o desejo –, respondo. Mas como fazer germinar um desejo? Como começar? Essas respostas ficarão óbvias durante a leitura.

Lembre-se: há magia no desejo. A magia também se encontra na habilidade do mágico. E a habilidade depende de três ingredientes necessários. Na verdade, o sucesso permanente em qualquer atividade humana sempre depende desses três ingredientes importantes. Foi isso que aprendi. E foi isso que provei quando desenvolvi meu sistema de vendas infalível que mais tarde me levou a uma descoberta incrível... *O Sistema de sucesso Infalível.*

PREPARE-SE PARA A ABUNDÂNCIA

Vi os princípios do sucesso atuando na vida de centenas de pessoas de todas as profissões. Foi apenas por meio de muito estudo e inúmeros testes que descobri os motivos por trás do sucesso e do fracasso, e como motivar antigos fracassados a se tornarem pessoas bem-sucedidas.

Motivado pela crença de que aquilo que compartilhamos com os outros com bondade e beleza irá se multiplicar e crescer, compartilho com vocês, neste livro, as técnicas para o sucesso da forma como as aprendi.

E minha experiência me diz que, se você aceitar entrar nessa jornada comigo, capítulo a capítulo, ao longo de todo este livro, em uma verdadeira caça ao tesouro, também conseguirá usar o *Sistema de sucesso Infalível* para realizar seus desejos.

Uma lenda hindu diz que quando os deuses estavam criando o mundo, disseram: "Onde podemos esconder os tesouros mais preciosos de forma que não possam ser perdidos? Como podemos escondê-los para que homens gananciosos e avarentos não os roubem nem os destruam? O que podemos fazer para garantir que essas riquezas sejam passadas de geração a geração, em benefício de toda a humanidade?".

Então, em toda a sua sabedoria, eles escolheram um esconderijo que era tão óbvio que jamais seria visto. E lá colocaram as verdadeiras riquezas da vida, dotadas do poder da renovação perpétua. Nesse esconderijo, esses tesouros podem ser encontrados por qualquer pessoa, em qualquer lugar, que siga o *Sistema de sucesso Infalível*.

Ao ler este livro, leia-o como se um amigo pessoal estivesse escrevendo apenas para você. Este livro é dedicado a você e a todos que buscam as verdadeiras riquezas da vida.

W. CLEMENT STONE

Introdução

Livros motivacionais e de desenvolvimento pessoal, dizeres e princípios vêm e vão. Passar pelo teste do tempo e demonstrar resultados tangíveis e duráveis dos princípios deste livro que você está prestes a ler talvez sejam as principais qualidades de W. Clement Stone e do *Sistema de sucesso Infalível*.

Em 1922, W. Clement Stone tomou um empréstimo de US$ 100 em dinheiro e se mudou para Chicago, onde abriu uma pequena companhia de seguros. Ele tinha 21 anos. Hoje aquela empresa é uma companhia global bilionária, a *Combined Insurance*, que opera sob os mesmos princípios apresentados neste livro... um verdadeiro testemunho de seu impacto e influência duradoura.

Em toda a empresa, suas fotos, dizeres e memórias são conhecidos por todos os funcionários. Ao passar pelas aulas de vendas, você ouvirá os gritos de novos agentes que repetem sem parar: "Eu sou saudável. Eu sou feliz. Eu sou incrível" – dizeres que o Sr. Stone repetia todos os dias. Ele viveu até os cem anos, então certamente há algo poderoso nessas palavras e na atitude mental por trás delas.

Milhares de agentes e empregados em todos esses anos, de 1922 até hoje, se beneficiaram dessas máximas motivacionais, dos princípios do sucesso e dos ensinamentos do fundador da nossa empresa. Estando ainda trabalhando para a *Combined Insurance* ou não, a maioria deles vai falar sobre como os princípios e as filosofias os ajudaram, bem como suas famílias, e como contribuíram muito com seu sucesso profissional e pessoal. Muitos desafios que as pessoas enfrentam diariamente estão não apenas na próxima venda ou na próxima decisão profissional, mas também nas oportunidades que surgem em suas vidas pessoais e no mundo em volta delas. O livro e seus ensinamentos se aplicam a todos os aspectos da vida e continuam sendo tão relevantes hoje quanto eram quando foram publicados pela primeira vez, em 1962.

O Sr. Stone era conhecido por muitas coisas. Ele foi empreendedor, líder, amigo e conselheiro de políticos e líderes influentes, filantropo, marido, pai, autor e palestrante motivacional. Os sortudos que tiveram a honra de conhecê-lo se empolgam ao falar de seus treinamentos, seus ensinamentos, sua motivação e sua liderança.

O Sr. Stone dizia: "Tudo que quero é mudar o mundo... fazer dele um lugar melhor para as futuras gerações". Isso explica com clareza por que ele fazia um pouco de tudo. Ele sempre acreditou que não havia nada que não pudesse conseguir se focasse aquilo e, como você aprenderá, se pensasse naquilo com uma *Atitude Mental Positiva*. Sua vida, sua empresa e este livro são uma prova de que ele é um homem de palavra.

Sua abordagem sobre o sucesso é simples: defina seus objetivos e nunca desista deles. Ele acreditava que tudo que pode ser concebido e acreditado pode ser realizado.

Este livro já ensinou milhares de pessoas como você sobre os princípios que levam a atingir metas pessoais, profissionais e familiares. A atitude positiva e a confiança suscitadas pelo sistema de sucesso influenciam não apenas quem o lê, mas também quem seus leitores encontram, portanto, influenciam e impactam. Assim, de diversas formas, ele mudou o mundo e fez dele um lugar melhor.

Temos muito orgulho e sorte de havermos nos beneficiado tão diretamente da liderança do Sr. Stone. Acreditamos que, se você ler este livro com a mente aberta, comprometendo-se a mudar e a entender o sistema de sucesso, sentirá um impacto direto nos seus objetivos e na sua vida em geral. Esperamos que você aprecie a experiência tanto quanto apreciamos todos os dias na *Combined Insurance*.

DOUG WENDT
Presidente - *Combined Insurance*

Parte I
E COMEÇA A BUSCA

Decisões sem ações são inúteis

O fracasso pode ser bom para você

Não deixe que as amarras mentais o segurem

Direcione seus pensamentos, controle suas emoções, decrete o seu destino

1
E começa a busca de um garotinho

Eu tinha seis anos e estava com medo. Vender jornais na perigosa região sul de Chicago não era fácil, principalmente porque as crianças mais velhas acabavam pegando as esquinas mais movimentadas, gritavam mais alto e me ameaçavam com os punhos cerrados. Ainda guardo comigo a lembrança daqueles dias sombrios, pois foi a primeira vez que me lembro de ter transformado uma desvantagem em uma vantagem. É uma história simples, de pouca importância agora, mas ainda assim foi um começo.

O Restaurante do Hoelle ficava próximo da esquina onde eu tentava trabalhar, e ali tive uma ideia. Era um lugar movimentado e refinado, de aspecto ameaçador para uma criança de seis anos. Eu estava nervoso, mas andei apressadamente e fiz uma boa venda logo na primeira mesa. E então as pessoas que estavam jantando na segunda e na terceira mesa compraram meus jornais. Mas quando comecei a ir em direção à quarta mesa, o Sr. Hoelle me expulsou de lá.

Mas eu havia vendido três jornais. Então, quando o Sr. Hoelle não estava olhando, voltei e fui até a quarta mesa. Aparentemente, aquele cliente espirituoso havia gostado da minha iniciativa, pois pagou pelo jornal e ainda me deu uma moeda a mais antes que o Sr. Hoelle me colocasse para fora mais uma vez – mas agora eu já tinha vendido quatro jornais e ainda havia ganhado uma moeda "bônus". Entrei no restaurante e comecei a vender de novo. Todo mundo começou a rir. Os clientes estavam gostando do espetáculo. Um deles falou alto "Deixa o garoto", enquanto o Sr. Hoelle vinha na minha direção. Cinco minutos depois, eu havia vendido todos os meus jornais.

Voltei lá na noite seguinte. O Sr. Hoelle me botou para fora de novo. Mas, quando voltei mais uma vez, ele levantou as mãos para o alto e exclamou: "De que adianta?". Mais tarde, viríamos a ser grandes amigos, e nunca mais tive problemas para vender jornais em seu estabelecimento.

Anos depois, eu costumava pensar naquele garotinho não como se fosse eu, mas sim um velho amigo distante. Certa vez, depois de já ter feito fortuna e estar à frente de um grande império de seguros, analisei as ações do garotinho à luz do que havia aprendido. E foi isto que concluí:

1. Ele precisava do dinheiro. Os jornais seriam inúteis se não fossem vendidos, pois ele nem sabia ler. Os poucos centavos que havia tomado emprestado para comprar os jornais também seriam perdidos. Para um garoto de seis anos, essa catástrofe era suficiente para motivá-lo – para fazê-lo continuar tentando. Portanto, ele tinha a *inspiração necessária para agir*.

2. Após seu primeiro sucesso na venda de três jornais no restaurante, ele voltou, embora soubesse que poderia ser constrangido ou expulso novamente. Depois de três idas e vindas, ele aprendeu a técnica necessária para vender jornais em restaurantes. Portanto, ele tinha o *know-how*.

3. Ele sabia o que dizer, porque havia ouvido as crianças mais velhas gritando as manchetes. Tudo que precisava fazer, quando se aproximava de um cliente potencial, era repeti-las com uma voz mais suave do que havia ouvido. Assim, ele tinha o *conhecimento prático* necessário.

Sorri quando me dei conta de que meu "amiguinho" havia se tornado um vendedor de jornais bem-sucedido usando as mesmas técnicas que viriam a se tornar um sistema de sucesso que, mais tarde, permitiria que ele – e muitas outras pessoas – acumulasse fortunas. Mas estou me adiantando aqui. Por enquanto, lembre-se apenas destas três expressões: *inspiração para agir*, *know-how* e *conhecimento prático*. Essas são as chaves para o sistema.

A BUSCA DO GAROTO CONTINUA

Embora eu tenha crescido em um bairro pobre e degradado, fui feliz. As crianças, mesmo na pobreza, não são todas felizes se tiverem um lugar para dormir, comida na mesa e um espaço para brincar?

Eu vivia com minha mãe na casa de alguns parentes. Já mais velho, o avô de uma menina que vivia no piso superior do nosso prédio despertava minha imaginação com histórias de caubóis e índios enquanto comíamos pipoca de arroz e leite. E todos os dias, quando ele se cansava de contar suas histórias, eu descia até o quintal e brincava de faz de conta, fingindo ser Buffalo Bill ou um grande guerreiro indígena. O meu cavalo, feito de um pedaço de pau ou cabo de vassoura velha, era o mais rápido do Oeste.

Imagine agora uma mãe, após um dia de trabalho fora, vendo seu filho na cama à noite lhe pedindo para contar sobre o que havia feito durante o dia – as coisas boas e as ruins. Imagine o menino, após uma breve conversa entre os dois, saindo da cama e se ajoelhando ao lado da mãe enquanto ela rezava, pedindo por uma direção. Então você conseguirá sentir como foi o início da minha busca pelas verdadeiras riquezas da vida.

Minha mãe tinha muitos motivos para rezar. Como todas as boas mães, sentia que seu filho era um bom garoto, mas se preocupava por causa das "más companhias". E ficou especialmente incomodada quando ele adquiriu o hábito de fumar cigarros.

O tabaco era caro, e eu costumava enrolar grãos de café moídos em papel de cigarro quando não tinha tabaco disponível. Talvez aquilo me fizesse sentir importante, pois outro garoto e eu só fumávamos quando havia outros garotos e garotas por perto e adorávamos quando eles pareciam chocados. Quando tínhamos visitas em casa, eu demonstrava como havia crescido fumando um cigarro caseiro. Um padrão se estabelecia. E não era dos bons.

Como outros jovens que vão para o mau caminho, eu bancava o valentão. Não que eu me divertisse com aquilo; a culpa me corroía. Talvez fosse a minha forma de mostrar ser diferente dos outros do meu grupo. Mas havia uma coisa boa que eu fazia: à noite, quando conversávamos, eu contava a verdade à minha mãe – absolutamente toda a verdade.

As preces da minha mãe por orientação foram ouvidas. Ela me matriculou no Spaulding Institute, um internato paroquial em Nauvoo, Illinois. Lá, ao ser exposto a um ambiente sadio em que os três ingredientes do *Sistema de sucesso Infalível* eram aplicados, algo aconteceu – e foi algo bom.

Qual lugar melhor para desenvolver *inspiração para agir* na busca do autoaperfeiçoamento do que uma escola religiosa? E quem tem um *know-how* melhor e o *conhecimento prático* necessário para ensinar caráter do que pessoas que dedicam suas vidas à igreja, empenhando-se em purificar suas almas ao mesmo tempo que tentam salvar as almas de seus semelhantes? Ali as semanas viraram meses, que viraram anos, e assim desenvolvi uma ambição secreta de ser como meu mentor religioso – o pastor que eu admirava e amava.

Mas eu também amava minha mãe e sentia muito a falta dela. Como muitos garotos que vivem longe de casa em escolas privadas, eu sentia saudades de casa e, assim como eles, todas as vezes que via minha mãe ou lhe escrevia, implorava para que ela me levasse de volta para casa.

Após dois anos em Nauvoo, ela sentiu que eu estava pronto. E, igualmente importante, ela estava pronta. Ou talvez tenha sido amor materno, pois ela também queria muito estar comigo. Embora houvesse dúvidas sobre minha capacidade de adaptação a um novo ambiente, ela sabia que poderia me mandar de volta para Nauvoo se assim quisesse. Eu estava pronto, e ela também.

A ASCENSÃO

Ainda muito jovem, minha mãe havia aprendido a costurar e, como tinha iniciativa, talento e sensibilidade, tornou-se uma costureira muito boa. Logo após minha partida para Nauvoo, ela se deu conta de que mudar de casa e de ambiente profissional também faria bem para ela. Agora ela podia fazer algo a respeito, pois não precisava mais se preocupar em ter que arranjar alguém para cuidar de mim enquanto trabalhava.

Ela conseguiu um emprego em um ateliê de roupas femininas muito exclusivo, conhecido como Dillon's. Em dois anos, ela era responsável por todos os desenhos, acabamentos e costuras, e havia construído a reputação, entre a clientela exclusiva, de estilista e costureira incrível. Sua renda era suficientemente boa para que conseguisse conquistar o próprio apartamento em um bairro melhor.

A uma quadra do nosso apartamento ficava uma pensão onde a proprietária cozinhava a própria comida caseira, e era lá que eu fazia minhas refeições. A comida era incrível – carne de panela, feijão, tortas caseiras, purê com molho –, apesar das reclamações brincalhonas dos comensais adultos, que eram as pessoas mais interessantes do mundo para um garoto de onze anos: atores. Eles também gostavam de mim. Eu era a única criança por ali.

Como milhares de pessoas que agarram a oportunidade de *ascender* nessa terra de oportunidades ilimitadas, minha mãe economizou dinheiro suficiente para abrir o próprio negócio. Sua fama como estilista e costureira trouxe bons clientes, mas ela não tinha *know-how* de como utilizar crédito bancário. (Muitas pequenas empresas se tornariam grandes empresas se os proprietários aprendessem que o negócio dos bancos é ajudar pequenas empresas a se tornarem grandes por meio de financiamentos.)

Por falta de capital de giro ou utilização inadequada de créditos bancários, a empresa de costura da minha mãe nunca cresceu além dos limites do seu trabalho pessoal e do de dois funcionários em tempo integral. Como a maioria das pessoas que se arrisca a abrir o próprio negócio, ela também teve problemas financeiros. Mas esses problemas nos trouxeram muitas das verdadeiras riquezas da vida, como a alegria de doar.

Para ter um pouco de dinheiro para gastar (e também para poupar, já que eu havia aberto uma conta de poupança), eu fazia a rota do *Saturday Evening Post* e de outro jornal. Embora todas as noites mamãe me pedisse para eu lhe contar meus problemas, ela nunca me contava os dela. Mas eu podia senti-los. Certa manhã, percebi que ela parecia muito preocupada. Mais tarde naquele dia, antes que ela voltasse para casa, retirei o que era, para mim, uma grande porção das minhas economias e comprei uma dúzia das melhores rosas que pude comprar.

A alegria da minha mãe diante desse gesto de amor me inspirou a perceber a verdadeira alegria de quem doa. Frequentemente, ao longo dos anos, ela contava às suas amigas, com orgulho materno, sobre a dúzia de belas rosas de cabo longo e sobre o que elas haviam significado para ela. Essa experiência me fez perceber que ter dinheiro era algo bom – pelas coisas boas que ele podia fazer.

O dia 6 de janeiro sempre foi uma data importante na vida de minha mãe e também na minha, porque era seu aniversário. Certo ano, nessa data, quando, por algum motivo – talvez pelas compras de Natal –, eu não tinha nem um dólar na conta bancária, fiquei muito preocupado, porque queria demais comprar um presente de aniversário para ela. Naquela manhã, orei por orientação.

Na hora do almoço, ao voltar da escola, parei para ouvir o barulho do gelo rachando sob meus pés. De repente, parei e olhei em volta. *Algo* me dizia para voltar e dar uma olhada ao redor. Voltei, peguei do chão um pedaço de papel verde amassado e fiquei maravilhado ao descobrir que era uma nota de dez dólares! (Você ainda vai me ouvir falar muito sobre aquele *algo*).

Fiquei muito animado, mas decidi não comprar um presente, no final das contas. Eu tinha um plano melhor.

Mamãe chegou para o almoço. Enquanto ela estava limpando a mesa, levantou seu prato e encontrou um bilhete de aniversário escrito à mão e a nota de dez dólares. Mais uma vez senti a alegria do doador, porque parecia que aquele tinha sido um dia em que todos haviam se esquecido do aniversário dela. Ela ficou maravilhada com o presente, que naquela época era um valor altíssimo.

DECISÕES SÃO IMPORTANTES QUANDO SEGUIDAS DE AÇÕES

Essas experiências pessoais mostram que cada nova decisão que uma criança ou um adulto toma em determinado conjunto de circunstâncias dá início a padrões de pensamento que, mais tarde, terão enorme impacto em sua vida. Quando um adulto toma uma decisão, ela pode ser boba ou sábia, depende de suas experiências passadas em tomar decisões. Pois *pequenas coisas boas amadurecem e viram grandes coisas boas. E pequenas coisas ruins amadurecem e viram grandes coisas ruins*. E isso se aplica às decisões.

Mas boas decisões devem ser seguidas de ações. Sem ação, uma boa decisão é inútil, pois o desejo por si só pode morrer se não houver uma tentativa de realizá-lo. É por isso que você deve agir imediatamente ao tomar uma boa decisão.

QUANDO SAIR EM BUSCA DE ALGO, NÃO VOLTE SEM CONSEGUI-LO

Eu tinha doze anos quando um garoto mais velho – que eu respeitava – da vizinhança me convidou para participar de uma reunião de escoteiros. Fui até lá e me diverti muito, e então entrei para o grupo dele – era o Grupo 23, sob o comando do chefe Stuart P. Walsh, que frequentava a Universidade de Chicago.

Nunca me esquecerei dele. Era um homem de caráter. Ele queria que todos os garotos do seu grupo se tornassem escoteiros de primeira em pouco tempo, e inspirava todos os meninos a quererem que o grupo fosse o melhor da cidade de Chicago. Talvez esse fosse um dos motivos pelos quais o grupo, de fato, era o melhor da cidade. Outro motivo era sua firme convicção: *para conseguir o que você deseja, esteja presente*; ao ensinar, inspire, treine e supervisione outras pessoas.

Todos os escoteiros do Grupo 23 faziam um relatório semanal das boas ações que haviam feito naquela semana – as formas que haviam encontrado para ajudar alguém sem receber nenhum tipo de compensação. Isso fez com que cada garoto procurasse oportunidades de fazer boas ações – e como eles procuravam, acabavam encontrando essas oportunidades.

Stuart P. Walsh deixou gravados na memória de todos os membros do Grupo 23, em um padrão inesquecível, os princípios da Lei Escoteira: "Um escoteiro é digno de confiança, leal, está sempre alerta para ajudar o próximo, amigo de todos, cortês, gentil, obediente, alegre, sorri nas dificuldades, corajoso, limpo de corpo e alma e respeitoso".

Mas, mais importante, ele *fiscalizava* para ver se todos os escoteiros do seu grupo sabiam identificar, assimilar e usar todos esses princípios – não simplesmente decorá-los como um papagaio, e sim usá-los como um homem de verdade. Consigo ainda ouvi-lo dizer: "Quando sair em busca de algo, não volte sem consegui-lo!".

No próximo capítulo, você verá como esse princípio ensinado pelo meu antigo chefe escoteiro se enraizou tanto em mim que formou, sem que eu percebesse a princípio, meu degrau seguinte na escada do *Sistema do sucesso Infalível*. O pequeno vendedor de jornais de seis anos sobre quem você leu no início deste capítulo ainda não havia se dado conta de para onde estava indo – mas já estava a caminho.

PEQUENAS DOBRADIÇAS QUE ABREM GRANDES PORTAS

Todo sucesso passa pelas três fases listadas abaixo. Quando você realmente entender o que elas significam, estará a caminho de um

Infalível

futuro brilhante. Os próximos capítulos deste livro vão ajudá-lo a compreender as três fases – *mas você deve abrir a mente e procurar o significado delas.*

1. Inspiração para agir
2. *Know-how*
3. Conhecimento prático

2
Prepare-se para o futuro

Uma das lições mais importantes da minha vida me foi dada quando eu estava prestes a terminar o ensino fundamental. Foi uma lição que se transformou em um princípio importante: *Você está sujeito ao seu ambiente, portanto, selecione um ambiente propício ao seu desenvolvimento e que o coloque no rumo do seu objetivo.*

Embora na época eu não conseguisse manifestar o pensamento dessa forma sucinta, tinha consciência do seu princípio subjacente. Quando chegou o momento de entrar para a ensino médio, cheguei à conclusão de que a escola Senn High era uma escolha melhor do que Lakeview High, onde eu teria estudado se tivéssemos continuado a viver no bairro onde morávamos. Como uma mudança importante que minha mãe estava fazendo em sua empresa nos obrigou a nos mudarmos para Detroit, fizemos um acordo com uma família inglesa bacana do bairro Senn para que eu pudesse morar na casa deles.

E também decidi que escolheria meus próprios amigos quando fosse para a escola nova. Ao escolher, procuraria pessoas de caráter e inteligência. E, como procurei, acabei encontrando o que queria: pessoas incríveis e bondosas que exerceram uma tremenda influência positiva sobre mim.

Infalível

FAÇA VALER O SEU DINHEIRO

Como eu estava em um bom ambiente doméstico e frequentando uma boa escola pública, minha mãe investiu em uma pequena agência de seguros que representava a United States Casualty Company, em Detroit, Michigan.

Nunca vou me esquecer. Ela penhorou seus dois diamantes para conseguir o dinheiro de que precisava para completar o valor que já tinha para comprar a agência – lembrando que ela não havia aprendido a usar créditos bancários para construir uma empresa. Após alugar uma simples mesa em um prédio de escritórios no centro, ela estava muito ansiosa pelo primeiro dia de vendas. Naquele dia, ela teve sorte. Trabalhou duro, mas não fez nenhuma venda – o que foi bom!

O que você faz quando tudo dá errado? O que você faz quando não tem para onde correr? O que você faz quando está diante de um problema sério?

E foi isso que ela fez, como me contaria mais tarde: "Eu estava desesperada, tinha investido todo o meu dinheiro e tinha que fazer valer o meu investimento. Eu tinha dado o meu melhor, mas não consegui fechar nenhuma venda.

"Naquela noite, rezei por uma luz no meu caminho. E na manhã seguinte, orei novamente. Quando saí de casa, fui até o maior banco de Detroit. Lá, vendi uma apólice para o caixa e consegui autorização para vender no banco durante o horário do expediente. Parecia que dentro de mim havia uma motivação tão sincera que todos os obstáculos tinham sido removidos. Naquele dia fechei 44 vendas."

Por tentativa e erro no primeiro dia, minha mãe desenvolveu um descontentamento inspirador. Ela estava *inspirada a agir*. Ela sabia a Quem pedir orientação e ajuda em seus esforços de sustentar uma casa, assim como sabia a Quem pedir orientação e ajuda quando tinha algum problema em relação ao seu filho.

E por tentativa e erro, no segundo dia, ela conquistou *know-how* para vender suas apólices, desenvolvendo assim um sistema de vendas eficaz para si mesma. Agora ela tinha *know-how*, além de *inspiração para agir* e *conhecimento prático*. Portanto, a *ascensão* foi rápida.

Vendedores, como outras pessoas, não conseguem *ascender* porque não reduzem a uma única fórmula os princípios aplicados nos dias em que se saem bem. Eles conhecem os fatos, mas não conseguem extrair os princípios.

Agora que estava ganhando bem com vendas, minha mãe começou a construir uma organização que atuava em todo o estado de Michigan, sob o nome fantasia de Liberty Registry Company.

Minha mãe e eu nos víamos nos feriados e nos períodos de férias. Minhas segundas férias do ensino médio foram passadas em Detroit. Foi quando também aprendi a vender apólices de seguro e quando comecei a buscar um sistema de vendas para chamar de meu – um sistema que fosse infalível.

FAÇA O DOBRO NA METADE DO TEMPO

O escritório da Liberty Registry Company ficava no Free Press Building. Eu passava o dia no escritório, lendo e estudando a apólice que tentaria vender no dia seguinte.

Minhas instruções de venda eram as seguintes:
1. Examinar o prédio do Dime Bank por completo.
2. Começar no andar superior e passar por todos os escritórios.
3. Evitar fazer ligações no escritório do prédio.
4. Usar a apresentação: "Posso tomar um minuto do seu tempo?".
5. Tentar vender para todas as pessoas que você abordar.

· **Infalível**

Então eu seguia as instruções, lembrando o que havia aprendido quando era escoteiro: *Quando sair em busca de algo, não volte sem consegui-lo.*

Se eu estava com medo? Pode ter certeza que sim.

Mas nunca me passou pela cabeça não seguir as instruções. Não tinha como ser diferente para mim. Eu era, nesse aspecto, um produto de um hábito – um bom hábito.

No primeiro dia, vendi duas apólices – duas vezes mais do que já havia vendido na vida. No segundo dia, quatro – o que significava um aumento de cem por cento. No terceiro dia, seis – um aumento de cinquenta por cento. E, no quarto dia, aprendi uma lição importante.

Liguei para uma grande imobiliária e, quando estava diante da mesa do gerente comercial e usei a apresentação "Posso tomar um minuto do seu tempo?", fiquei apavorado. Porque ele foi logo ficando em pé, pulando da sua mesa com a mão direita erguida e, quase gritando, me disse: "Garoto, em toda a sua vida, nunca peça pelo tempo de alguém! Vá lá e tome esse tempo!".

Então tomei seu tempo e vendi para ele e para 26 dos seus vendedores naquele dia.

Aquilo me fez pensar: deve haver um método científico para vender um monte de apólices por dia. Deve haver um método que me fará produzir em uma hora o mesmo que eu levaria horas para produzir. Por que não encontrar um sistema para vender o dobro na metade do tempo? Por que não posso desenvolver uma fórmula que traga o máximo de resultado com o mínimo de esforço?

A partir dali, comecei a tentar descobrir, conscientemente, os princípios que construíram meu sistema de vendas infalível. Eu pensava: "O sucesso pode ser reduzido a uma fórmula. E o fracasso também pode ser reduzido a uma fórmula. Aplique uma e evite a outra. Pense por conta própria".

PENSE POR CONTA PRÓPRIA

Independentemente de quem você é, aprender boas técnicas de vendas é bastante desejável. Porque vender nada mais é do que persuadir alguém a aceitar seu serviço, seu produto ou sua ideia. Nesse sentido, todos somos vendedores. Seja você um vendedor nato ou não, os pequenos detalhes do meu sistema de vendas não são realmente importantes para você, mas seus princípios podem ser – isso se você estiver pronto.

O mais importante é que você reduza a uma fórmula, preferencialmente por escrito, os princípios que aprender a partir de suas experiências de sucesso e de fracasso, em qualquer tipo de atividade que lhe interesse. Mas talvez você não saiba como extrair os princípios que você lê, ouve ou vivencia. Vou demonstrar como eu fiz. Mas *você deve pensar por conta própria*.

COMO SUPEREI A TIMIDEZ E O MEDO

Antes de descrever como superei a timidez e o medo de abrir portas fechadas ao entrar em escritórios chiques e ao tentar vender para mulheres e homens de negócios, primeiro deixe-me contar como eu enfrentava esse mesmo problema quando criança.

Muitas pessoas não acreditam que, quando jovem, eu era tímido e medroso. Mas a lei da natureza diz que as pessoas sempre sentem algum nível de medo diante de novas experiências e novos ambientes. A natureza protege os indivíduos contra o perigo por meio dessa consciência. As crianças e as mulheres sentem isso em maior grau do que os homens; repito, essa é a forma de a natureza protegê-los contra o perigo.

Lembro que, quando criança, eu era tão tímido que, quando tínhamos visita, ia para outro cômodo da casa, e, durante uma tempestade, escondia-me debaixo da cama. Mas um dia pensei: "Se o raio for cair, será tão perigoso se eu estiver embaixo da cama quanto em qualquer outro lugar da casa". Decidi superar o medo. Veio a oportunidade e eu a aproveitei. Durante uma tempestade, obriguei-me a ir até a janela e olhar para os raios. Algo maravilhoso aconteceu. Comecei a gostar da beleza dos raios de luz cortando o céu. Hoje não há ninguém que goste mais de uma tempestade do que eu.

Embora eu passasse em todos os escritórios, um atrás do outro, no prédio do Dime Bank, não conseguia superar o medo de abrir uma porta, principalmente quando não conseguia ver o que estava do outro lado (muitas das portas de vidro eram foscas ou tinham cortinas no interior). Era necessário desenvolver um método que me obrigasse a entrar lá.

Então, como procurei, encontrei a resposta. Pensei: *o sucesso só vem para aqueles que tentam. Quando não há nada a perder e muito a ganhar tentando, só me resta então tentar*!

A repetição dessas automotivações me convenceu. Mas eu ainda tinha medo, e ainda era necessário agir. Felizmente, ocorreram-me as seguintes palavras de motivação: *Faça agora*! Como eu havia aprendido o valor de tentar estabelecer bons hábitos e os malefícios de adquirir maus hábitos, pensei que podia me forçar a agir assim que saísse de um escritório se eu fosse correndo até o próximo. Se eu hesitasse, usaria as palavras de motivação *Faça agora*! – e agiria imediatamente. Foi o que eu fiz.

COMO NEUTRALIZAR A TIMIDEZ E O MEDO

Ao entrar em uma empresa, eu não me sentia à vontade, mas logo aprendi a neutralizar o medo de conversar com estranhos. Fiz isso aprendendo a controlar minha própria voz.

Descobri que, se eu falasse alto e rápido, fizesse pausas onde estariam os pontos e as vírgulas caso aquelas palavras faladas fossem escritas, mantivesse um sorriso na minha voz e usasse modulação vocal, não sentiria mais frio na barriga. Mais tarde, aprendi que essa técnica era baseada em um princípio psicológico muito consistente: emoções (como medo) não se sujeitam imediatamente à razão, mas se sujeitam à ação. *Quando pensamentos não neutralizarem uma emoção indesejada, só uma ação poderá neutralizá-la.*

O gerente comercial da imobiliária não havia gostado da minha apresentação: "Posso tomar um minuto do seu tempo?". Além disso, muitas pessoas com quem eu havia usado essa apresentação haviam dito "não", portanto, deixei de usá-la e, após experimentar, pensei em outra que uso desde então: "Acredito que isso possa lhe interessar".

Ninguém nunca disse "não" para essa apresentação. A maioria das pessoas perguntava do que se tratava, e, então, eu explicava e começava o meu discurso de vendas. O propósito da apresentação de vendas é apenas fazer com que a pessoa ouça você.

SAIBA QUANDO DESISTIR

"Tente vender para todas as pessoas que você abordar" era uma das instruções que minha mãe havia me dado. Então eu insistia com todos os clientes potenciais. Às vezes os vencia pelo cansaço, mas, ao sair do escritório deles, eu também me sentia cansado. A impressão que eu tinha era que, ao vender um serviço de baixo custo, como era o caso, era imprescindível conseguir mais vendas por hora de trabalho, pois não era todo dia que eu conseguia vender 27 apólices em uma única empresa.

Então decidi *não* vender para todos que eu abordasse, *caso a venda levasse mais tempo do que o limite estabelecido por mim mesmo*. Tentaria agradar o cliente e sair o mais rápido possível, embora soubesse que, ficando, talvez conseguisse fechar a venda.

Coisas maravilhosas aconteceram. Aumentei muito o número médio de vendas por dia. E, ainda melhor, em muitos casos o cliente potencial achava que eu continuaria argumentando, mas, como eu saía de lá de uma forma agradável, ele vinha até mim no escritório em que eu estava então tentando vender e dizia: "Você não pode fazer isso comigo. Todos os outros corretores insistiriam. Volte e escreva tudo". Em vez de sentir cansaço após uma tentativa de venda, eu sentia o entusiasmo e a energia sendo transmitidos para o meu próximo cliente potencial.

Os princípios que aprendi são simples: o cansaço não permite que você dê o seu melhor. Não deixe seu nível de energia cair a ponto de descarregar completamente suas baterias. O nível de atividade do seu sistema nervoso aumenta quando o seu corpo se recarrega com um pouco de descanso. *O tempo é um dos ingredientes principais em qualquer fórmula de sucesso em qualquer atividade humana. Poupe tempo. Invista-o com sabedoria.*

COMO FAZER ALGUÉM OUVIR VOCÊ

Aprendi quando criança que, sempre que estivesse conversando com alguém, deveria olhá-lo nos olhos. Mas, vendendo, se eu olhasse diretamente para os olhos de uma pessoa, frequentemente ela balançaria a cabeça dizendo "não". E, ainda mais frequentemente, ela me interromperia. Eu não gostava disso, pois me atrasava. Logo, criei uma técnica para evitar o problema: fazer o cliente potencial concentrar seus sentidos de visão e audição naquilo que eu estava lhe mostrando e no que eu tinha a dizer. Eu apontava para a apólice ou para o material de vendas enquanto proferia meu discurso. Como eu olhava para onde estava apontando, o cliente olhava também. Se, do canto dos meus olhos, eu via o cliente balançar a cabeça dizendo "não", eu nem prestava atenção. Geralmente ele acabava se interessando, e eu acabava fechando a venda.

JOGUE PARA GANHAR

Em um jogo ou esporte altamente competitivo, você joga conforme as regras e não rompe os padrões que definiu para si mesmo: você joga para ganhar. O mesmo acontece no jogo das vendas. Porque vender, como qualquer outra atividade, torna-se muito mais divertido quando você vira craque naquilo.

Descobri que, para me tornar um craque em vendas, teria que trabalhar, e trabalhar duro. *Tentar, tentar, tentar* e continuar tentando é a regra que deve ser seguida para ser bom em qualquer coisa. Mas no tempo devido, adotando os hábitos de trabalho corretos, você vai se tornar craque. Aí vai se divertir com o seu trabalho, e trabalhar não será mais uma obrigação. Será uma diversão.

Dia após dia eu trabalhava, e trabalhava duro, tentando melhorar minhas técnicas de vendas. Procurava pelos *gatilhos* – palavras e frases que despertariam a ação correta do cliente potencial. E a reação certa significava que ele compraria, dentro de um espaço de tempo razoável, pois tempo significava dinheiro para mim.

Eu queria dizer a coisa certa, da maneira correta, para conseguir a reação desejada. Para isso, precisei de muita prática, e prática significa trabalho.

Tudo tem começo e fim. A introdução é o início da apresentação comercial. Como eu poderia encerrar a venda em um curto espaço de tempo, de forma a deixar o cliente potencial feliz?

Como pesquisci, fiz uma descoberta: se você quer que um cliente potencial compre, *peça-lhe* que compre. Apenas peça, e dê a ele a chance de dizer "sim". Mas faça com que seja fácil dizer "sim" e difícil dizer "não". Mais especificamente, pressione com elegância, sutileza, de forma agradável e eficaz.

Infalível

E eis o que descobri: se você quer que uma pessoa diga "sim", faça uma *afirmação positiva* e uma *pergunta afirmativa*. Então "sim" quase sempre será o reflexo natural da resposta. Exemplos:

1. Afirmação positiva: *Que dia bonito...*
   Pergunta afirmativa: *É verdade, né?*
   Resposta: *Sim, é verdade.*

2. A mãe quer que o filho pratique piano por uma hora aos sábados de manhã, momento em que ela sabe que a criança quer sair para brincar. Assim, ela poderia dizer:
   Afirmação positiva: *Você pode praticar piano por uma hora agora para que depois tenha o dia todo para brincar...*
   Pergunta afirmativa: *Não é verdade?*
   Resposta: *Sim.*

3. Uma vendedora oferecendo a um cliente um lenço de renda poderia dizer:
   Afirmação positiva: *É uma bela peça, e o preço está ótimo...*
   Pergunta afirmativa: *Você não acha?*
   Resposta: *Sim.*
   Pergunta afirmativa: *Posso embalar para você então?*
   Resposta: *Sim.*

4. O encerramento que encontrei é simples assim:
   Afirmação positiva: *Então, se você não se importa, gostaria de inscrever você também, se possível...*
   Pergunta afirmativa: *Posso?*
   Resposta: *Sim.*

POR QUE ESTAVA ESCRITO

As histórias das minhas experiências no edifício do Dime Bank apontam para as técnicas que comecei a usar para desenvolver meu sistema de vendas infalível, e por que eu as empregava. Eu estava em busca do *conhecimento* necessário para cada passo que integraria toda a apresentação comercial. Estava me empenhando em adquirir *know-how* – a *experiência em usar esse conhecimento específico* por meio de uma *ação* repetida.

Resumidamente, estava me preparando para desenvolver o hábito de usar uma fórmula que me renderia resultados comerciais excelentes *constantemente*, no menor espaço de tempo possível.

Embora não me desse conta, eu estava *me preparando para o futuro* – alguns anos mais tarde, descobri que meu sistema de vendas empregava os princípios que são o denominador comum do sucesso contínuo em qualquer atividade humana. E foi assim que fiz uma grande descoberta: o *Sistema de sucesso Infalível*.

O QUE ISSO SIGNIFICA PARA VOCÊ

Saúde, felicidade, sucesso e riqueza podem ser seus quando você entender e aplicar o *Sistema de sucesso Infalível*.

Pois *o sistema funciona... se você fizer o sistema funcionar*.

Até agora, você pode não ter reconhecido e entendido, a ponto de conseguir adotá-los, os princípios do sucesso encontrados nas histórias e explicações que leu. Mas, se continuar lendo, eles ficarão mais claros.

Ao buscar pelo *Sistema de sucesso Infalível*, você conseguirá um progresso mais rápido e permanente se tiver em mente os três ingredientes necessários, que são, em ordem de importância:

1. *Inspiração para agir*: o que o motiva, ou qualquer outra pessoa, a agir, pois é aquilo que você *quer*.
2. *Know-how*: as técnicas e habilidades específicas que lhe rendem resultados *consistentes*. Know-how é a *aplicação correta do conhecimento*. O *know-how* se torna um hábito por meio de uma *experiência* repetitiva.

3. *Conhecimento prático*: conhecimento da atividade, serviço, produto, métodos, técnicas e habilidades que lhe interessam.

Para um sucesso contínuo, é necessário *se preparar para o futuro*. Para se preparar para o futuro, você precisa ser seu *próprio mestre*. E para ser *seu próprio mestre*, leia o próximo capítulo.

PEQUENAS DOBRADIÇAS QUE ABREM GRANDES PORTAS

1. No final das contas, o seu ambiente irá controlá-lo; portanto, certifique-se de controlar seu ambiente. Evite situações, pessoas, parceiros que tendem a atrasá-lo.
2. O sucesso é conquistado por quem *tenta*. Quando há muito a ganhar e pouco a perder, *tente*.
3. Não é *pensando* que você irá superar o medo, mas sim *agindo*.
4. Nunca se esqueça... *O sistema funciona se VOCÊ fizer o sistema funcionar.*

3
Seja seu próprio mestre

– Don, você sabe onde posso conseguir um emprego?

Donald Moorhead hesitou, sorriu e disse: – Sim, Jim. Encontre-me no meu escritório amanhã às 8h30.

Foi assim que a conversa terminou. Havia começado quando o Sr. Moorhead, funcionário da United States Casualty Company, encontrou um amigo certa tarde enquanto caminhava pela Wall Street.

E na manhã seguinte, quando Jim foi encontrá-lo, Don sugeriu uma forma fácil de ganhar um bom dinheiro e prestar um serviço ao público: vender seguros de saúde e seguros contra acidentes.

E Jim disse: – Mas eu ficaria paralisado de medo. Não saberia para quem ligar. Nunca vendi nada na minha vida.

– Não precisa se preocupar com isso –, foi a resposta. – Vou lhe dizer o que fazer. Prometo que você vai se dar bem... se abordar cinco pessoas por dia. E eu lhe darei os nomes de cinco clientes potenciais a cada manhã, se você me fizer uma promessa.

– Qual é a promessa?

– Prometa que você ligará para cada um deles no mesmo dia em que eu lhe der os nomes. Você pode mencionar meu nome se quiser. Mas não diga que fui eu que mandei você falar com eles.

Jim precisava muito de um emprego, e seu amigo não precisou se esforçar muito para convencê-lo a ao menos tentar. Então Jim levou todo o material didático e as instruções necessárias para casa a fim de estudar e voltou ao escritório do Sr. Moorhead alguns dias depois para pegar os cinco nomes e começar uma nova carreira.

TUDO ESTÁ NA MENTE

"Ontem foi um dia emocionante!", exclamou quando voltou, na manhã seguinte, com duas vendas fechadas e muito entusiasmo.

Ele teve mais sorte no segundo dia, pois vendeu para três dos cinco clientes potenciais.

Na terceira manhã, saiu correndo do escritório do Sr. Moorhead, cheio de energia e vitalidade, com cinco outros nomes. Esses eram indicações particularmente boas – ele vendeu para quatro dos cinco clientes potenciais com os quais fez contato.

Quando o novo e entusiasmado vendedor chegou ao trabalho na manhã seguinte, o Sr. Moorhead estava em uma conferência importante. Jim esperou na recepção por cerca de quinze minutos antes de o Sr. Moorhead sair de seu escritório privado e dizer: – Jim, estou em uma reunião extremamente importante que deve durar toda a manhã. Por que você não economiza o meu tempo e o seu? Pegue os cinco nomes você mesmo, da lista telefônica. Foi isso que fiz nos últimos cinco dias – vou lhe mostrar como faço.

Então Don abriu a lista telefônica aleatoriamente, apontou para um anúncio, pegou o nome do presidente da empresa e anotou seu nome e endereço. E disse: – Agora é sua vez de tentar.

E foi o que Jim fez. Após anotar os primeiros nomes e endereços, Don prosseguiu: "– Lembre-se, o sucesso em vendas é uma questão de atitude mental – a atitude do vendedor. Toda a sua carreira depende da sua capacidade de desenvolver a mesma atitude mental correta ao ligar para os cinco nomes que você mesmo selecionou de quando ligou para as pessoas cujos nomes eu lhe dei.

E assim começou a carreira de um homem que fez muito sucesso, pois ele percebeu a verdade – *tudo está na mente*. Na realidade, ele melhorou o sistema. Para ter certeza de que encontraria seu cliente potencial, ligava com antecedência e marcava um horário. Claro que ele teve que desenvolver *know-how* sobre como marcar horários, o que só veio com a experiência.

E é assim que se adquire *know-how* – por meio da experiência.

Há também uma história de um banqueiro que cometeu um erro e perdeu seu cargo, mas conseguiu um emprego melhor ao realizar um inventário de si mesmo. Quem me contou essa história há pouco tempo foi Edward R. Dewey, diretor da Fundação para Estudo dos Ciclos.

REALIZE UM INVENTÁRIO DE SI MESMO

Contou-me o Sr. Dewey: "Mike Corrigan era um banqueiro amigo meu que confiou em um cliente de quem gostava. Mike concedeu um grande empréstimo a esse homem, que acabou ficando inadimplente. Embora Mike trabalhasse no banco havia muitos anos, seus chefes julgaram que, diante de sua experiência, ele havia tomado uma decisão estúpida. Então Mike foi demitido e ficou sem emprego por algum tempo".

"Nunca vi um homem tão abatido: seu jeito de andar, seu rosto, sua postura, sua fala, tudo demonstrava desânimo e tristeza. Ele tinha aquilo que você, Clem, chama de atitude mental negativa", Ned Dewey me disse. E então prosseguiu:

"Mike tentou diversas vezes conseguir um emprego, mas suas tentativas eram inúteis. Para mim, era compreensível, por causa da sua atitude. Eu queria ajudá-lo, então dei-lhe um livro: *Pick Your Job and Land It* [Escolha e consiga o seu emprego, em tradução livre], escrito por Sidney e Mary Edlund. Os autores explicam como mostrar sua experiência profissional de maneira atrativa para potenciais empregadores para quem você queira trabalhar. Eu lhe disse: 'É uma leitura obrigatória. Depois de ler, quero que você venha me ver'.

"Mike leu o livro e me encontrou no dia seguinte, porque precisava muito de um emprego.

"'Eu li o livro', ele disse.

"'Então notou', eu disse, 'que o livro sugere que você liste os seus trunfos: todas as coisas que você fez para *gerar lucros para o seu antigo empregador*'. E fiz diversas perguntas para ele, tais como:

1. Quais foram as elevações de rentabilidade que o banco registrou ano a ano enquanto você era gerente da agência – a elevação de rentabilidade se deu por alguma coisa que você tenha feito?
2. Quanto o banco economizou com a eliminação de desperdício e o aumento de eficiência sob sua gestão?

"Mike era esperto... e estava preparado. Ele teve uma ideia. Naquela noite, após o jantar, ele veio até minha casa. Que surpresa eu tive com sua transformação! Era um novo homem: um sorriso sincero, um aperto de mão firme e amigável, uma voz que transmitia confiança – o verdadeiro reflexo do sucesso.

"E mais surpreso ainda fiquei com as coisas que ele havia escrito nas diversas páginas que enumeravam aquilo que ele considerava como seus trunfos: além de descrever o valor que havia agregado ao seu antigo empregador, ele fez uma lista especial que se chamava *Meus verdadeiros trunfos*."

Quando Edward R. Dewey mencionou alguns dos trunfos listados por Mike Corrigan, não pude deixar de interrompê-lo: "Mike Corrigan reconheceu os ingredientes essenciais para se tornar mestre de si mesmo!". E você entenderá o que quero dizer quando ler o capítulo intitulado "As verdadeiras riquezas da vida".

O Sr. Dewey prosseguiu: "Entre os *verdadeiros* trunfos, estavam:

- Uma esposa maravilhosa que significava tudo para ele.
- Uma filha única que lhe proporcionava alegria e felicidade e era a luz de sua vida.
- Uma mente e um corpo saudáveis.
- Muitos bons amigos.
- Uma filosofia religiosa e uma igreja que eram uma fonte de inspiração para ele.
- O privilégio de viver nos Estados Unidos da América.
- Uma casa e um carro totalmente quitados.
- Um pouco de dinheiro guardado no banco.
- Muitos anos de vida adiante.
- O respeito e a estima daqueles que o conheciam.

"Aquela noite com Mike foi muito divertida", disse Ned. "Na verdade, ele estava tão animado que acabei ficando animado também. Senti que ele era o tipo de sujeito que eu contrataria se fosse um empregador.

"Naquela noite, não consegui tirar Mike da cabeça. E quando no telefone tocou durante o jantar na noite seguinte, senti que era o Mike. Eu estava certo.

"'Quero lhe agradecer, Ned. Consegui um emprego', ele exclamou, muito feliz.

"E Mike conseguiu um bom emprego, como tesoureiro de um grande hospital em uma cidade vizinha, cargo que ele mantém há muitos anos", concluiu o Sr. Dewey.

Infalível

ELE DESENVOLVEU UM CONTROLE PESSOAL E SE TORNOU SEU PRÓPRIO MESTRE

Você não precisa estar desempregado para fazer um inventário de si mesmo. Quem se compromete a fazer uma autoavaliação é geralmente quem está buscando desenvolvimento pessoal – e é isso que acaba encontrando. George Severance, que representa a Ohio National Life Insurance Company em Chicago, é um desses homens.

Foi ele que inventou o controle pessoal, que o ajudou a alcançar o sucesso para atingir muitos de seus objetivos mais nobres. O princípio que ele usou pode ser aplicado por todos que se dispuserem a desenvolver e seguir o próprio controle pessoal.

E, se você seguir as instruções para criar seu próprio controle pessoal – e usá-lo diariamente, como detalhado no Capítulo 19 –, então você, assim como George Severance, irá se tornar seu próprio mestre.

Isso porque você, assim como ele, usará sua técnica para ter tranquilidade e felicidade, livrar-se de dívidas, economizar dinheiro, eliminar desperdícios de tempo e dinheiro, acumular riquezas, eliminar maus hábitos e desenvolver outros melhores. Seu uso diário irá motivá-lo a conquistar mais. *Posso garantir!*

George é meu amigo. Conheço muito bem sua história. Ele sentiu sua primeira emoção na área comercial quando começou a bater às portas dos fundos das empresas para vender seguros industriais. Em suas palavras:

"Acho que bati em todas as portas dos fundos do meu bairro. Na verdade, acredito que, em algum momento, passei por todas as áreas da cidade. À medida que o tempo passava, meu volume de vendas começou a aumentar; no entanto, eu me via em uma situação financeira muito difícil, pois minhas dívidas estavam crescendo mais do que a minha renda.

"Certo dia, o valor total dessas dívidas me derrubou. Eu estava diante de uma verdadeira crise financeira. Então me lembrei de uma afirmação que havia visto em algum lugar:

'*Se você não consegue economizar dinheiro, a semente do sucesso não está em você*'.

"Eu realmente queria prosperar. Queria me livrar das dívidas. Sentia que tinha a semente do sucesso em mim. Naquele momento, decidi que faria algo a respeito."

Se você não consegue guardar dinheiro, a semente do sucesso não está em você. Essa afirmação demonstrava que George Severance, assim como muitas pessoas que conquistaram o sucesso, obtiveram benefícios ao memorizar e reagir a palavras de motivação.

E, assim, perguntei-lhe novamente: – Além da *Bíblia*, qual livro de desenvolvimento pessoal foi importante na sua vida?.

– *Authors of Portraits and Principles*[1], ele respondeu.

Mas o sucesso vai além de ler livros de desenvolvimento pessoal e extrair a filosofia contida neles: é preciso *agir*.

George me contou que seu controle pessoal *o ajudava* a fazer um inventário de si mesmo – organizar seu tempo para pensar, definir objetivos e selecionar o caminho certo para trilhar – e *o motivava a agir*. E disse ainda:

"Após criar meu controle pessoal, descobri que eu passava 32 horas por mês tomando café com meus amigos. Fiquei surpreso, pois percebi que equivalia a quatro dias de trabalho. E então me dei conta de que meu horário de almoço às vezes durava uma hora a mais do que deveria durar". Ele prosseguiu:

---

1. Projetado e organizado por Wm. C. King, King Richardson & Co., Springfield, Mass., 1895.

Infalível

"Como um coelho saltador, eu pulava para lá e para cá, em vez de explorar um único território.

"Tarde da noite, eu costumava ir a muitas reuniões noturnas. E quando as reuniões acabavam, às oito ou nove da noite, íamos jogar cartas ou ficávamos conversando inutilmente até mais de meia-noite. Agora eu vou para casa e passo a noite com a minha família. Tenho uma boa noite de sono. Tenho mais tempo para ler livros de desenvolvimento pessoal.

"Esportes – às vezes eu costumava jogar bola ou praticar golfe durante o horário comercial. Odeio pensar em todo o dinheiro que perdi durante todo aquele tempo valioso.

"Obrigações familiares – eu dedicava muito tempo a fazer tarefas domésticas para a minha família em horário comercial, em vez de usar meu tempo de forma lucrativa para fazer o trabalho que era esperado de mim enquanto provedor.

"Quando olho para trás, vejo que, em muitos aspectos, eu tinha uma bela vida social durante o horário comercial. Mas, quando desenvolvi meu controle pessoal, percebi:

"*Se um dia útil foi agitado socialmente, então ele foi um fracasso comercial*".

Então George preenchia seu controle pessoal diariamente. Seus colegas de trabalho ficaram maravilhados. Os registros indicam que, após fazer o inventário de seu controle pessoal, George realizou maravilhas:

- Vendeu o equivalente a quatro milhões de dólares em seguros de vida em um único ano.
- Marcou um novo recorde para a empresa, fechando mais de um milhão de dólares em negócios em *um* único dia.
- Vendeu uma quantidade de seguros de vida suficiente para se tornar um membro vitalício da Mesa-Redonda Milionária – um feito que todo corretor de seguros de vida deseja, mas poucos conquistam.

Com orgulho legítimo, George disse: "Comecei a quitar minhas dívidas e, quando elas estavam pagas, comecei a guardar dinheiro em uma caderneta de poupança. Por fim, eu havia economizado US$ 6 mil. Um amigo meu e eu investimos, cada um, US$ 6 mil em uma empresa que nosso banco nos ajudou a financiar. Ao final de um ano, cada um de nós recebeu US$ 50 mil como resultado daquele projeto. Foi um grande passo para começar a adquirir patrimônio".

Você gostaria de ver uma cópia do controle pessoal de George Severance? Ou ler um relato detalhado sobre como ele funciona? Ou ainda desenvolver seu próprio controle pessoal para uso próprio?

Você terá essa oportunidade quando chegar ao Capítulo 19, "Indicadores de sucesso levam ao sucesso". Mas precisará de força de vontade para adquirir o hábito – fazer uma autoanálise todos os dias. E um livro de desenvolvimento pessoal que o inspire pode ajudar bastante.

FORÇA DE VONTADE

Os autores de *Portraits and Principles* e outros livros de desenvolvimento pessoal inspiraram George Severance. O livro *Power of Will*, de Frank Channing Haddock,[2] [Força de vontade, em tradução livre] me ajudou. Talvez, quando leu sobre minha experiência de prospecção de vendas no edifício do Dime Bank de que falo no capítulo anterior, você tenha se perguntado como um jovem vendedor em sua primeira missão criou técnicas de vendas baseadas no funcionamento da mente humana, quando vendedores mais velhos e mais experientes de todas as áreas dificilmente conseguiam fazer isso.

Mas não subestime os jovens. Quando comecei o ensino médio, tive problemas que me motivaram a comprar o livro *Power of Will*.

---

2. Frank Channing Haddock, Ralston Publishing Co., Cleveland, Ohio.

Primeiro, porque eu queria desenvolver minha força de vontade. Segundo, eu era presidente do Clube de Debate na escola Senn High, onde debatíamos assuntos como "O desejo é livre?". Era necessário pesquisar, e *Power of Will* é um bom livro de referência sobre esse assunto.

As práticas de debate e de oratória despertaram em mim autoconfiança e segurança. E a necessidade de criar contra-argumentos rápidos e eficientes para vender foi algo que me aconteceu naturalmente, pois os princípios são os mesmos. Tanto um orador quanto um vendedor precisam pensar logicamente e estar atentos a todas as afirmações que podem virar uma vantagem a seu favor. Você precisa ser *persuasivo* para ganhar.

Sempre me perguntei por que as escolas não apresentam livros de desenvolvimento pessoal para os adolescentes. Eles estão naquela idade em que buscam verdades e ajuda pessoal. A Constituição proíbe o ensino de religião em escolas públicas, mas não há nada nela que proíba o ensino de uma atitude mental correta em relação a trabalho, honestidade, coragem, como levar uma vida nobre, pensamentos positivos e prática de boas ações.

CHEGA-SE À ALMA POR MEIO DA MENTE

A história da humanidade nos ensinou que *os melhores pensamentos novos são os melhores pensamentos antigos*. Foi essa a definição de outro amigo meu, Nate Lieberman. Inúmeras pessoas cultivaram pensamentos positivos e fizeram boas ações com o intuito de construir uma vida nobre por meio da influência da igreja. Os ensinamentos morais da igreja podem ser encontrados na Bíblia e em outros textos religiosos. Ao buscar desenvolvimento pessoal, familiarize-se com a filosofia religiosa e busque na Bíblia – o livro de desenvolvimento pessoal que inspirou mais pessoas a agir de forma positiva do que qualquer outro livro já escrito. E ao ler a Bíblia, sinta-se motivado, por mais que a princípio você não tenha o *know-how* necessário para associar, assimilar e usar seus princípios, pois o *know-how* é um produto da experiência.

Sob influência da Bíblia e da sua igreja, você chegará à sua alma por meio da sua mente. Por conta da importância de uma mente sã e do poder curativo da religião, reverendos de todos os credos estão começando a reconhecer a necessidade de cooperação entre líderes religiosos e psiquiatras para obter resultados mais efetivos na melhoria da saúde física, mental e moral dos indivíduos.

Por 25 anos, o Dr. Smiley Blanton e o reverendo Dr. Norman Vincent Peale provaram o valor da parceria entre psiquiatra e pastor, cada um atuando com sua vocação. Ainda mais importante, por meio da Fundação Americana de Religião e Psiquiatria (que eles criaram), com sede em Nova York, treinaram reverendos de todas as igrejas de muitas partes do mundo para cumprir de forma muito melhor a missão a que se dedicam.

Mencionei essa filosofia porque, enquanto gerente comercial, já contratei homens que haviam fracassado em outras empresas, e, motivando-os a se tornarem mestres de si mesmos, eu os preparei para um sucesso excepcional. Todos que desejam se tornar mestres de si mesmos podem atingir seus objetivos se sempre buscarem desenvolver sua saúde física, mental e moral, contanto que não construam paredes invisíveis.

DERRUBE AS PAREDES INVISÍVEIS

No século 3 a.C., Chin Shih Huang Ti, o primeiro imperador da dinastia Chin, construiu duas muralhas – a famosa Grande Muralha da China e, simultaneamente, a "muralha invisível".

A Grande Muralha, com suas 25 mil torres de vigia, estendeu-se por quatro mil quilômetros. Por mais de dois mil anos, evitou a entrada de bárbaros e a saída da civilização mais antiga do mundo, com todo o seu conhecimento e cultura.

No século 3 a.c., a China era autossuficiente, não precisava do resto do mundo. Mas o resto do mundo precisava daquilo que a China tinha a compartilhar: a arte da impressão, o uso do carvão, relógios d'água, fundição de bronze, pólvora, instrumentos astronômicos, a bússola naval, remédios, especiarias e muito mais.

Com o passar dos séculos, os bárbaros acumularam *inspiração, conhecimento* e *know-how* e se desenvolveram tanto que hoje a China de Chin Shih Huang Ti parece primitiva por comparação.

Assim como líderes de nações que temem a liberdade de religião, de ensino e da imprensa e que construíram cortinas de ferro ou de bambu em torno de seus povos, o imperador erradicou o progresso ao destruir toda a literatura que não correspondesse às suas ideias, conceitos e filosofia.

Talvez você não seja um imperador, rei ou líder aos olhos dos outros, mas você é um monarca absoluto quando se trata do controle dos seus pensamentos, sentimentos, crenças e tentativas. E a literatura que você não estuda é tão inútil para você quanto se tivesse sido queimada ou destruída.

Então agora é hora de se perguntar:

"Que paredes invisíveis eu construí?"

"Depois de sair da escola, estudei ideias, conceitos e filosofias diferentes daqueles que eu tinha lá atrás?"

"Estou atualizado sobre mudanças econômicas, sociais, religiosas, científicas e políticas da atualidade?"

"Leio livros de desenvolvimento pessoal como se o autor fosse um amigo pessoal que estivesse escrevendo apenas para mim?"

"Ou já aprendi todos os princípios fundamentais possíveis?"

SEJA SEU PRÓPRIO MESTRE

Construa a sua própria vida. Seja prestativo para si mesmo e para toda a humanidade. Construa a partir de dentro, mas busque ajuda externa. É algo que você pode fazer ao buscar, encontrar e seguir o *Sistema de sucesso Infalível*.

Para buscar ajuda externa, veja o lado bom de tudo. E isso começa de dentro: a atitude mental correta em relação às pessoas, às coisas, ao conhecimento, aos hábitos, às crenças – sejam suas, sejam dos outros.

O seu futuro ficou para trás por causa de paredes invisíveis que você construiu tão sólidas dentro de você que não permitem que suas ideias mais brilhantes as ultrapassem?

Talvez seja isso, talvez não. Se for esse o caso, você pode derrubar essas paredes. O próximo capítulo, "Não deixe seu futuro para trás", irá lhe contar como.

PEQUENAS DOBRADIÇAS QUE ABREM GRANDES PORTAS

Neste momento, você sabe exatamente quais são seus trunfos? Você tem consciência de suas verdadeiras habilidades, do seu potencial de crescimento, dos seus sucessos pregressos, ainda que pequenos? Se não tiver essa consciência, *faça um inventário de si mesmo*. Para saber aonde você está indo e como chegar lá, você primeiro deve *se conhecer*.

4
Não deixe seu futuro para trás

Floyd Patterson caiu na lona. Alguns segundos depois, já não era o campeão mundial peso-pesado. Ingemar Johansson lhe havia tomado o título.

Especialistas diziam que Floyd estava acabado; seu futuro como lutador havia ficado para trás. E todos sabiam que Floyd enfrentava um dos mais antigos tabus do esporte: nenhum campeão peso-pesado havia conseguido conquistar o título de volta. Mas Floyd precisava tentar – e, mais do que isso, ele sabia que conseguiria!

Isso porque Floyd Patterson havia desenvolvido uma *insatisfação inspiradora*. Ele sabia que conseguiria, e não estava contente em continuar sendo um fracasso; ele se orgulhava de ser um campeão.

Analisando a situação, percebeu que precisava mudar sua atitude mental e trabalhar duro para compensar o tempo perdido. E ele, de fato, trabalhou duro, estudou e ouviu seus treinadores.

Ouviu do ex-campeão Joe Louis: "A forma de pegar Johansson é fazendo-o errar. É aí que você entra". E foi o que Patterson fez: Ingo errou, e, então, ele entrou. Na verdade, desde o primeiro segundo da luta até o gancho de esquerda que desferiu no queixo de Johansson no quinto round, Patterson provou que o poder motivador de sua *insatisfação inspiradora* foi suficiente para desenvolver nele a (1) *inspiração para agir*, o (2) *know-how* e o (3) *conhecimento prático* necessários para reconquistar o título de campeão mundial peso-pesado.

É notável que, enquanto os fotógrafos dos jornais estavam fazendo fotos de Patterson antes da revanche, ele tenha dito: "*O mais importante não vai aparecer em nenhuma foto, pois é sobre minha atitude mental*". Veja, Floyd havia abandonado sua atitude negativa e adotado uma atitude mental correta. E, assim, seu futuro ficou bem diante dos seus olhos.

O SEU FUTURO FICOU PARA TRÁS?

O seu futuro está à sua frente ou ficou para trás? A resposta correta depende se você está tentando eliminar quaisquer paredes invisíveis – maus hábitos e pensamentos e ações indesejados – e fortalecendo e adquirindo bons hábitos – pensamentos positivos e boas ações. Porque o caráter é a pedra angular do verdadeiro sucesso.

A essência da perfeição nunca é alcançada, mas você constrói caráter ao tentar alcançá-la. Sorte ou azar, à medida que os dias viram semanas – sucesso ou fracasso à medida que as semanas viram meses e anos –, qual será para você? A escolha é sua. O volante está nas suas mãos. Você pode seguir o caminho que escolher, na direção aonde quer chegar – hoje, amanhã ou em um futuro distante.

Mas onde você está? Agora é o momento de descobrir. E agora é hora de verificar seus hábitos de pensamento e ação, pois foram eles que o trouxeram até onde você está hoje. Seus pensamentos e as coisas que você faz determinam *agora* o seu futuro destino. Você está no caminho certo para ir de onde está para onde realmente quer chegar?

Não importa o que você é ou o que você foi, você ainda pode se tornar o que quer ser. Ao seguir a sua viagem pela vida, você, assim como o capitão de um navio, pode selecionar o seu primeiro porto e então seguir viagem até chegar ao próximo. Você passará por mares calmos e agitados ao ir de um porto a outro, mas é você que está no comando. Muitos navios que perderam seus lemes e muitas pessoas que perderam seus caracteres acabaram abandonados, perdidos pelo mundo. Isso pode acontecer a qualquer momento da viagem, seja no mar, seja na vida, porque o *caráter é o único denominador comum de todas as qualidades pessoais que irá garantir um futuro realmente bem-sucedido.*

ELE DEIXOU O FUTURO PARA TRÁS

Minha mãe adorava teatro, música e ópera, e, quando eu era um garotinho, ela costumava me levar para ver um dos maiores atores da época. Ele era um herói para mim. Depois de adulto, vi-o novamente anos mais tarde – já não era um herói adorado. Ainda atraía grandes públicos e ainda era aplaudido – mas não era por causa de sua arte e seu talento. Aplaudiam-no quando aparecia no palco no início da peça, mesmo estando atrasado, simplesmente porque era ele quem havia aparecido. Aplaudiam todos os seus lapsos, falas esquecidas ou improvisos engraçadinhos. Ele não era um palhaço – mas o público ria. Ele não era um comediante – apenas um grande homem que havia deixado seu futuro para trás. Porque ele havia se tornado um alcoólatra errante. Eu não sabia na época, mas o futuro desse ator brilhante já havia sido deixado para trás quando o via na minha infância. Já naquela época, ele sabia que rumo estava tomando, mas se recusou a tomar as rédeas, fazer a volta e pegar o caminho certo – eliminar hábitos indesejados e substituí-los por bons hábitos.

Infalível

COMO CONVENCER A SI MESMO

Que tragédia é ter todos os ingredientes necessários para o sucesso, menos um – e o mais importante: *caráter*. O desenvolvimento de um bom *caráter* é uma batalha que você, eu e todas as pessoas devemos lutar por conta própria. Mas a vitória pode ser nossa.

Embora a batalha seja interna, podemos pedir ajuda a pessoas de bom coração e a livros de desenvolvimento pessoal que motivem o leitor a se tornar uma pessoa melhor e a buscar as verdadeiras riquezas da vida. Mas lembre-se: *o verdadeiro valor de um livro de desenvolvimento pessoal está não naquilo que o autor escreve, mas sim na forma como você, leitor, interpreta e aplica o livro na sua vida.*

E, sobretudo, você pode orar por ajuda e orientação. Não esqueça:

> *Você é o produto da sua hereditariedade, do ambiente, do seu corpo físico, da sua consciência e do seu inconsciente, da sua experiência e da sua posição e direção específicas no tempo e no espaço e, mais ainda, de forças conhecidas e desconhecidas. Você tem o poder de influenciar, usar, controlar e se harmonizar com cada uma delas. E você pode direcionar seus pensamentos, controlar suas emoções e controlar seu destino.*

É isso que o livro *Atitude Mental Positiva* diz. E é nisso que acredito. Você mesmo poderá comprovar quando entender e aplicar o *Sistema de sucesso Infalível*. Você se sentirá inspirado e terá o *conhecimento* prático e o *know-how* necessários. Você só terá bons pensamentos e fará apenas boas ações.

Você manterá seus pensamentos *longe das coisas que não quer que aconteçam* ao se concentrar nas coisas que quer que aconteçam. E assim vai começar a *se convencer*, atingindo o seu subconsciente por meio da autossugestão.

O pensamento é a forma mais poderosa de sugestão – geralmente mais poderosa do que qualquer sugestão recebida por meio dos sentidos da visão, audição, olfato, paladar e tato. O seu subconsciente tem poderes conhecidos e desconhecidos, e você deve controlá-los para conseguir se convencer. Ao continuar a ler *Infalível*, você obterá o *conhecimento* e a *prática* necessários para usar o poder da sugestão de maneira eficaz.

TENTE FAZER A COISA CERTA PORQUE É O CERTO

Sempre que digo para você tentar fazer a coisa certa porque é o certo, essa é uma sugestão que lhe faço. Sempre que você pensa ou diz para si mesmo para *tentar fazer a coisa certa porque é o certo*, essa é uma autossugestão. Sempre que o seu subconsciente aparece na sua mente consciente dizendo para você *tentar fazer a coisa certa porque é o certo*, essa é uma sugestão automática.

É importante saber:

1. A sugestão vem de fora (do seu ambiente).
2. A autossugestão é automática ou propositadamente controlada a partir de dentro.
3. A sugestão automática age por conta própria, inconscientemente, como uma máquina que reage da mesma forma quando recebe o mesmo estímulo.
4. Pensamentos *e* impressões de qualquer um dos cinco sentidos são formas de sugestão.
5. *Só você pode pensar por si mesmo.*

Ao longo deste livro, procurarei motivá-lo explicando ou exemplificando a arte da motivação. E a repetição aumenta a eficácia de qualquer forma de sugestão. Mas é *você* quem deve agir de maneira consciente se quiser adquirir *know-how* no uso das palavras de automotivação. Portanto, convido-o a provar por si mesmo sua eficácia.

Durante a próxima semana, repita, todas as manhãs e todas as noites – e várias vezes ao longo do dia: *tente fazer a coisa certa porque é o certo*. Então, quando estiver diante de tentações, essas palavras virão à tona. E quando isso acontecer, *aja imediatamente. Faça a coisa certa*.

Dessa forma, por meio da repetição, você criará um hábito – um bom hábito – que o ajudará a construir seu futuro. Porque o seu futuro depende do seu caráter – e o caráter depende do sucesso em resistir às tentações. O mundo se tornou um lugar melhor para viver por causa de pessoas que criaram o hábito de fazer a coisa certa *simplesmente* porque era o certo a fazer. Assim, elas resistiram às tentações. Entre elas, há pecadores que se tornaram santos, motivados a se tornarem santos porque haviam pecado. Eles se inspiraram a agir da melhor forma porque o que os motivou foi o remorso – o desejo de se redimir, de fazer reparações, de se livrar do sentimento de culpa – e o desejo de ser querido pelos seus semelhantes, de agradecer a Deus por Suas bênçãos, de compensar o tempo perdido.

Talvez tenha sido esse o caso de William Sidney Porter, que era mais conhecido como O. Henry. Durante seu tempo de cárcere na penitenciária de Ohio, após ter sido condenado por fraude, O. Henry começou a estudar, pensar e planejar. Por ter se dedicado a um *exame de consciência*, sentiu-se inspirado a *se superar*. Dessa forma, o futuro dele ficou logo à sua frente.

Ele usou seus talentos para escrever e, logo depois de sair da prisão, conseguiu diversas fontes de renda. Uma delas era o *New York World* – cem dólares por semana para um conto semanal. Logo ficou famoso. Seus livros foram grandes sucessos de vendas. "A tragédia de sua própria vida desenvolveu nele um grande carinho pelos desafortunados", diz a *Encyclopaedia Britannica*.

Independentemente de quem você é e de quem foi, você ainda pode se tornar aquilo que quiser ser.

DA POBREZA À RIQUEZA

Agora vamos conhecer outro velho amigo: Horatio Alger Jr. Conheci-o no *resort* e fazenda Green's Michigan. Eu tinha doze anos na época, e minha mãe ainda trabalhava com costura em Chicago. Ela pensava que era bom que um garoto da cidade como eu fosse para o campo no verão – e ela estava certa. Em Green's aprendi sobre a vida plena que levavam as pessoas sortudas que moravam naquela região.

Aprendi a nadar, remar e pescar no riacho. Eu ouvia o velho moinho com sua roda d'água, corria atrás de tartarugas na lama quando o riacho estava baixo, via o milho sendo assado na fogueira à noite, divertia-me com os piqueniques ou parques de diversão, morria de medo das histórias de fantasmas que eram contadas à noite em volta da lareira, dormia no palheiro, ouvia as respostas dos espíritos que conversavam comigo, com a Sra. Green, seu filho adolescente Walter e seu marido por meio do tabuleiro que usávamos nas noites de tempestade... quantas memórias preciosas!

Mas nunca me esquecerei do dia em que subi até o sótão, onde conheci Horatio Alger. Havia ao menos cinquenta livros seus empilhados em um canto, todos empoeirados e desgastados. Peguei um e fui até a rede do jardim para ler. Li todos eles naquele verão. O tema comum era: da pobreza à riqueza. Os princípios que perpassavam todos os livros: o herói alcançou a fama porque era um homem de *caráter* – o vilão era um fracassado porque enganava e iludia as pessoas. Quantos livros Alger vendeu? Ninguém sabe. Estima-se que de cem a trezentos milhões. O que sabemos é que seus livros inspiraram milhares de garotos americanos de famílias pobres a lutar *para fazer a coisa certa porque era o certo* e a conquistar riqueza.

AMP E A INSATISFAÇÃO INSPIRADORA

Você pode acreditar, como eu acredito, que a maioria das pessoas é essencialmente boa e honesta. Mas uma pessoa pode ter um bom caráter, excelente saúde, uma cabeça boa e ainda assim deixar seu futuro para trás, porque sua atitude pode ser negativa, em vez de positiva – uma atitude mental equivocada, em vez de uma atitude mental correta. Mas o que é atitude mental?

O livro *Atitude Mental Positiva* diz: *"A atitude mental correta geralmente inclui características positivas como integridade, fé, esperança, otimismo, coragem, iniciativa, generosidade, tolerância, tato, gentileza e bom senso. A atitude mental equivocada tem as características opostas"*. E com isso podemos concordar.

A pessoa mais maravilhosa do mundo não fará progressos se não estiver insatisfeita, pois é essa *insatisfação inspiradora* que faz a mágica do desejo se tornar realidade.

"Todo organismo vivo cresce, amadurece e morre, a menos que haja uma nova vida, uma nova energia, novas atividades e novas ideias", disse Edward R. Dewey.

Todo o progresso do mundo, em todos os setores, foi o resultado de uma ação de homens e mulheres que sentiam uma *insatisfação inspiradora* – e nunca daqueles que se sentiam satisfeitos, pois a insatisfação é a força motriz do homem. A *insatisfação inspiradora* é o resultado da AMP – *Atitude Mental Positiva*. Com a atitude mental equivocada, a força motriz da insatisfação pode ser prejudicial.

Para ficar insatisfeito, você precisa *querer* algo. E se você quer algo com todas as suas forças, você *fará* alguma coisa. Você *tentará* consegui-lo.

AONDE O DR. JOE VAI, DEUS VAI ATRÁS

Bob Curran e eu conversávamos sobre a força da insatisfação inspiradora e sobre a atitude mental correta, quando Bob perguntou: – Já lhe contei sobre meu cunhado, o Dr. Joe?.

– Não –, respondi, e ele continuou:

– O Dr. Joe Hopkins, lá do Texas, é casado com a minha irmã. Ele é médico há mais de cinquenta anos. Mas 33 anos atrás ele desenvolveu câncer de laringe. Obviamente, o tumor tinha que ser removido. A delicada operação salvou a vida do Dr. Joe, mas acabou com a sua voz.

"Em algum lugar, ele ouviu falar sobre um velho médico de origem crioula que havia passado por uma operação parecida. O velho tinha um desejo arrebatador de voltar a falar sem aparelhos artificiais e então conseguiu desenvolver uma técnica incrível. Primeiro, ele engolia o ar. Então, trazia-o novamente até a garganta e a boca. De alguma forma, com a língua contra a parte interna dos seus dentes, ele formava sons com a pressão do ar. Depois de um tempo, ele começou a falar muito bem novamente.

"Quando Dr. Joe ouviu sobre isso, sentiu-se inspirado. Ele acreditava que também poderia falar sem a laringe. Quando sua garganta já estava recuperada, ele tentava fazer sons específicos. Era desanimador a princípio, mas ele continuava tentando e orando. Parecia impossível conseguir fazer os sons que queria, mas certo dia conseguiu emitir algumas vogais de maneira muito clara. Com a esperança renovada, ele tentava e orava cada vez mais. A cada dia, fazia progressos. Primeiro, dominou as vogais, depois todo o alfabeto e então palavras monossílabas. Com mais prática, conseguiu pronunciar palavras de duas e três sílabas – e não demorou para que obtivesse êxito total. Logo, ele estava falando o tempo todo.

Infalível

"É bem verdade que sua voz ficou um tanto grave, mas era fácil compreendê-lo – mesmo ao telefone. No início, quando ele tinha dificuldade em pronunciar alguma palavra, fazia uma pausa, pensava e então usava um sinônimo. Hoje ele já não encontra mais esse problema e parece falar com relativa facilidade."

"E ele conseguiu ajudar outras pessoas que viviam uma situação parecida?", perguntei.

"Sim, de fato", Bob respondeu. "E o Dr. Joe tem uma técnica muito interessante para despertar a confiança das pessoas. Por exemplo, quando outro médico lhe encaminha um paciente cuja laringe foi removida, o paciente poderá encontrar a sala de espera do Dr. Joe cheia de gente. O novo paciente vê o Dr. Joe chegar e conversar com as outras pessoas, com aquela sua voz grave. Ele sorri e gargalha. Ele parece estar feliz. E de fato está.

"Então, quando aquele paciente sem voz entra no consultório do Dr. Joe, o médico conta a emocionante história de como se inspirou no médico crioulo do interior e como aprendeu sozinho a falar novamente.

"O paciente geralmente fica muito empolgado ao se imaginar falando como o Dr. Joe. E ouve que deve trabalhar e praticar, praticar e praticar.

"Hoje o Dr. Joe é um dos homens mais requisitados que conheço. Ele trabalha em três hospitais e, aos 75 anos, trabalha todos os dias. Em certa ocasião, recebeu o título de Médico do Ano do Texas; em outra, recebeu a medalha nacional Laetare; e por causa do seu trabalho solidário com os pobres, foi condecorado cavalheiro pelo papa Pio XII. Mais de uma vez, ouvi alguém dizer: 'Aonde o Dr. Joe vai, Deus vai atrás'."

A BÊNÇÃO DO TRABALHO

Ao ler este capítulo, você percebeu com clareza: para criar um bom caráter, é preciso *trabalhar*. Para ter boa saúde, é preciso *trabalhar*. Para se superar, é preciso *trabalhar*. Para fazer a coisa certa porque é o certo a fazer, é preciso *trabalhar*. Para sair da pobreza e encontrar a riqueza, é preciso *trabalhar*. Para se reerguer, é preciso *trabalhar*. Para adquirir conhecimento, é preciso *trabalhar*. Para adquirir *know-how*, é preciso *trabalhar*.

Ao ler o próximo capítulo, você verá como trabalhar pode ser divertido. Você aprenderá sobre a bênção do trabalho ao aplicar esses princípios. E aprenderá que *triunfar dá menos trabalho do que fracassar*.

PEQUENAS DOBRADIÇAS
QUE ABREM GRANDES PORTAS

A estrada rumo ao sucesso começa quando você se sente inspirado a se esforçar. A inspiração começa quando você é motivado pela *insatisfação* com as coisas da forma como são. Portanto, a *insatisfação inspiradora* é a maior força do seu *Sistema de sucesso Infalível*.

Leia este livro atentamente, pois cada página transborda evidências de insatisfação inspiradora. Essa é uma das energias dinâmicas do trabalho. *Faça com que ela trabalhe a seu favor.*

PARTE II
ENCONTRANDO O MAPA DO TESOURO

Faça aquilo que lhe dá medo!

Acredite que você pode – e é verdade!

Ouse sonhar alto!

5
Triunfar dá menos trabalho do que fracassar

Lembra-se daquele dia atribulado? Ansiedade, agitação, surpresa, alívio. Explosões de alegria e orgulho!

Foi isso que todos os americanos e a maioria dos cidadãos livres do mundo sentiram quando o coronel John H. Glenn e sua cápsula espacial Friendship 7, do projeto Mercury, foram erguidos do solo pelo foguete Atlas D, enviados ao espaço, dando três voltas completas em torno da Terra a uma velocidade orbital de sete mil metros por segundo para, finalmente, pousar em um destino predeterminado.

Durante a viagem, o coronel Glenn foi obrigado a assumir o controle manual, porque o dispositivo automático que regulava a orientação, a inclinação e a rotação falhou. Ele estava preparado. Após pousar, ficou evidente para todo o público que lhe assistia do mundo todo que ele era um homem de caráter e coragem, com uma personalidade agradável e uma boa dose de bom senso.

A súbita descarga de energia concentrada por um foguete Atlas D pode enviar para o espaço um satélite, que continuará viajando sem gastar ou usar mais energia – tudo isso por causa da lei natural da inércia: *a matéria continuará em repouso ou em movimento uniforme em linha reta, a menos que seja forçada a mudar aquele estado por forças aplicadas sobre ela*. Mas se a quantidade de energia usada para enviar um satélite para o espaço for gasta de maneira lenta, sua força se dissipa, e o satélite não conseguirá transpor a força gravitacional da Terra. O resultado será o fracasso.

A essa altura, você já deve saber que o propósito de todos os exemplos deste livro é *motivá-lo a usar os princípios das histórias na sua própria vida*. A história do coronel Glenn e da cápsula Mercury é interessante e empolgante – mas quais são os princípios que podemos extrair dela para assimilar e aplicar em nossas próprias vidas?

Há diversos. Entre eles, *triunfar dá menos trabalho do que fracassar*.

E *leva menos tempo para chegar ao sucesso quando você concentra seus pensamentos e esforços em aprender muito sobre uma única coisa* e tenta se tornar um especialista do que quando você dissipa sua energia tentando aprender um pouco sobre várias coisas. Portanto, concentre sua atenção e esforços para adquirir o *conhecimento*, o *know-how* e a *motivação* necessários para se tornar um especialista e atingir seus objetivos desejados.

O sucesso será uma certeza se você fizer isso. Mas talvez você nunca tenha uma carreira de sucesso, atinja seus objetivos desejados ou aproveite um sucesso duradouro se ignorar esses princípios ou não conseguir usá-los.

TRIUNFAR DÁ MENOS TRABALHO DO QUE FRACASSAR

Trabalho é a forma como a energia é usada. Quando eu ou você realizamos *qualquer tipo de atividade*, usamos energia. Para concentrar a sua energia em determinada tarefa, concentre sua atenção naquilo e não desperdice seus esforços desnecessariamente.

Por mais que isso pareça simples, é assim que você adquire *conhecimento*, *know-how* e *inspiração para agir*. E foi assim que desenvolvi meu *Sistema de sucesso Infalível*. Ao fazer algo, entregue seu coração àquilo. Dê o seu melhor – e então relaxe! A atenção e os esforços concentrados, seguidos de relaxamento, irão se tornar um hábito, como aconteceu comigo quando comecei a vender seguros contra acidentes. Em primeiro lugar, eu dormia bem à noite. Vender de porta em porta em lojas e escritórios e passar de mesa em mesa nos bancos e outras grandes instituições me demandava muita energia física. E, por ser jovem, eu precisava de muitas horas de sono.

Depois, habituei-me a fazer minha primeira ligação comercial em um horário específico: 9 horas. Mas, antes de fazer a ligação, eu condicionava minha mente. Eu me concentrava. E pedia orientação e ajuda divinas. Não permitia que nada me atrapalhasse. Ficava *tenso*. Então, cada hora de trabalho do dia passava rápido. Eu tentava fazer valer cada minuto.

Às 12h, eu relaxava com um almoço leve e começava novamente. Se estivesse trabalhando em uma cidade longe de casa, costumava voltar para o meu hotel, almoçava, cochilava por meia hora e então começava um novo dia, por assim dizer. Quando encerrava o expediente, às 17h30, o trabalho havia acabado. Eu podia relaxar e distanciar minha mente das vendas.

APRENDI MUITO SOBRE POUCO

Ao concentrar meus esforços na venda de uma única apólice, aprendia tudo que havia para saber sobre aquela apólice. E aprendi com a experiência o que deveria dizer e como dizer – o que fazer e como fazer – para vender muito. Adquiri *conhecimento* e *prática*. Aprendi a desenvolver a *inspiração para agir* segundo minha própria vontade.

Infalível

Em certo sentido, como um cientista, aprendi por tentativa e erro – tentativa e sucesso. Porque eu acreditava firmemente que poderia desenvolver um discurso de vendas decorado e um plano de vendas organizado que me permitiria fechar uma venda após a outra, sem parar.

Por outro lado, eu era como um ator, que podia colocar sentimento, emoção e sensibilidade no meu discurso decorado. Quando você vai ao teatro e vê um grande ator, nunca passa pela sua cabeça que alguém escreveu as falas. Você nem se dá conta de que suas ações, bem como suas palavras, são as mesmas a cada encenação. Porque ele vive o papel. Mais do que viver meu papel de vendedor, eu também desenvolvia o roteiro. E, assim como em uma boa peça, eu não perdia nenhuma oportunidade de melhorá-la. E diferentemente da peça de teatro, eu mudava o discurso conforme as situações que encontrava, mas o discurso dito era padronizado para essas ocasiões. Assim, se eu era interrompido no início da minha apresentação, usava alguma das minhas piadas convencionais para aliviar a tensão em vez de deixar a piada para o final do discurso, como era minha intenção original.

Trabalho? Sim, muito trabalho. E tive que vencer muitas batalhas contra mim mesmo – e isso deu muito trabalho também.

Mas foi bom, porque busquei as técnicas para controlar meus sentimentos e minhas emoções. Houve momentos em que eu me perguntava se conseguiria superar o medo de ligar para o proprietário ou presidente de um grande banco ou loja de departamento. Mas descobri que *condicionar a mente*, usando *palavras de motivação*, e a simples técnica de *continuar tentando* me ajudavam. Chegou o dia em que eu conseguia ligar para o chefe de uma grande instituição em Nova York, Chicago ou qualquer lugar sem sentir medo, porque aquilo havia se tornado um hábito.

Como o cientista que finalmente descobre a fórmula do sucesso que está buscando, ou como o ator que vive seu papel, descobri que, ao fazer a mesma coisa da mesma forma, eu obtinha resultados consistentes. E como o cientista, descobri que o tempo era um ingrediente importante naquela fórmula.

Nada permanece; tudo está em constante mudança, tanto interna quanto externamente. Se você concentrar os raios solares através de uma lupa em determinado ponto de um tronco caído, vai conseguir fazer fogo em poucos minutos. Por outro lado, o sol poderia brilhar por décadas no mesmo pedaço de madeira e não acenderia nenhuma chama se não fosse pelo vidro. Ao longo do tempo, em circunstâncias normais, o tronco simplesmente se decomporia e se tornaria parte da terra. E o mesmo acontece comigo e com você.

Leva tempo para acertar – e leva tempo para errar.

Mas leva menos tempo para acertar do que para errar.

Podemos entender isso com clareza quando pensamos no sucesso contínuo, de toda uma carreira, de toda uma vida, pois leva menos tempo para acertar quando você faz a coisa certa – quando trabalha da maneira certa, com o *conhecimento* adequado, *técnicas* eficazes e *inspiração para agir*. É aí que você terá um sistema de sucesso.

Você pode trabalhar da maneira errada ou fazer a coisa errada e conseguir triunfar por um tempo, por acaso, ou em virtude das condições do momento. Você pode até mesmo acabar se deparando com o sistema certo e triunfar por um tempo, mas, se perder o sistema, irá fracassar, porque não reduziu os princípios do seu sucesso temporário a uma única fórmula.

SUCESSO DE CURTO PRAZO E FRACASSO DE LONGO PRAZO

É muito comum que uma empresa ou uma pessoa tenham êxito por um tempo e depois fracassem. Tomemos um exemplo específico que conheço pessoalmente.

Infalível

Desde 1900, quando o corretor Harry Gilbert viajou para a Inglaterra e descobriu que as seguradoras estavam vendendo algo que chamavam de *apólice contra acidente por carnê*, muitas seguradoras americanas começaram a vender apólices parecidas. Aqui levam o nome de apólice de acidente pré-emitida, pois são escritas e entregues pelo vendedor no próprio ato da compra. Essas apólices eram vendidas por meio de ligações aleatórias e inesperadas para pessoas que não conhecíamos – técnica conhecida como *cold calling*.

Muitas agências que operavam para essas empresas foram muito bem-sucedidas por anos. Hoje, no entanto, todas as agências e todas as empresas que operavam com apólices de acidentes pré-emitidas deixaram de vendê-las ou fecharam as portas – com apenas uma exceção. Por quê? O negócio não era lucrativo. Elas perderam dinheiro. Não conseguiram desenvolver um sistema de sucesso ou, se conseguiram, acabaram perdendo-o.

A única exceção? A empresa que eu administro. E pergunto novamente: por quê? Porque desenvolvi um sistema de vendas infalível e, com ele, consegui vender mais apólices em uma semana do que os vendedores sem sistema vendiam em meses. Havia um motivo para isso: eu poupava tempo.

Foi por isso que tive sucesso de longo prazo enquanto outros falharam. Meus esforços se concentravam em apenas uma apólice, e minha atenção era focada apenas em vendê-la. Eu poupava tempo. Tentava fazer com que uma hora rendesse o equivalente a muitas horas de trabalho, assim como tentava fazer com que um dólar rendesse o equivalente a uma quantia muito maior.

Frequentemente, eu pensava: "Se tenho que trabalhar, então é melhor tentar ganhar em um ano o que os outros ganham na vida toda". Mas percebi que isso só poderia acontecer se eu me baseasse em um *Sistema de sucesso Infalível*. Acabei realizando muitos de meus objetivos, inclusive o objetivo relativo à minha renda anual, e os princípios básicos que apliquei para atingir minhas metas em todas as instâncias foram:

1. *Inspiração para agir*, a ser conquistada segundo sua própria vontade.
2. *Know-how*, a ser conquistado por meio da experiência.
3. *Conhecimento prático*.

Mas como se adquire *conhecimento prático*?

FAÇA O QUE VOCÊ TEM MEDO DE FAZER

Há muitas formas de adquirir conhecimento prático. Aprendi tudo que eu precisava saber para vender seguros de acidentes pessoais em grande quantidade *com a experiência*. Aprendi fazendo.

Aprendi este princípio em especial: *Faça o que você tem medo de fazer. Vá aonde você tem medo de ir.* Ao fugir por medo de algo grandioso, você perde oportunidades.

Durante os primeiros anos da minha carreira de vendedor, sentia um medo desmedido quando me aproximava da entrada de um banco, escritório, loja de departamento ou outras instituições de grande porte. Então eu passava reto por eles. Aprendi mais tarde que passei reto por portas que se abririam para oportunidades excepcionais, pois descobri que era mais fácil vender naqueles lugares do que em estabelecimentos menores onde eu havia aprendido a neutralizar meus medos de principiante. E, por fim, concluí que também era possível ter muito sucesso comercial em grandes instituições, porque outros vendedores também tinham medo. Eles também passavam reto pelas portas da oportunidade e, assim como eu, nem chegavam a tentar.

Na verdade, pessoas que trabalham em grandes instituições são mais abertas a vendas do que aquelas que trabalham em lojas e escritórios onde muitos vendedores se sentem à vontade para vender. Esses lugares menores geralmente recebem por dia cinco, dez ou quinze vendedores corajosos o suficiente para abordá-los. Com essa experiência, os gerentes e funcionários desses locais logo aprendem a resistir aos vendedores e dizer "não". É claro, com o sistema certo, um "não" pode virar um "sim", mas isso geralmente leva tempo.

Além disso, um grande homem, um homem de sucesso, um homem que começou de baixo, tem coração. Ele vai lhe dar uma chance. Ele vai tentar ajudá-lo a subir. Tudo isso eu aprendi. Agora vou lhe contar como e por que comecei a criar o hábito de vender em grandes empresas.

A PORTA QUE EU TEMIA SE ABRIU PARA A OPORTUNIDADE

Eu tinha dezenove anos na época, e minha mãe me mandou viajar para Flint, Saginaw e Bay City, no Michigan, para renovar negócios estabelecidos e vender para novos clientes. Tudo correu bem em Flint. Em Saginaw, as vendas estavam indo de vento em popa. Como tínhamos apenas duas renovações em Bay City, escrevi para pedir à minha mãe que lhes avisasse, para que eu pudesse continuar trabalhando em Saginaw.

"Não fuja da sorte ou do sucesso" sempre me pareceu um conselho sábio. Mas minha mãe me ligou e me deu ordens para ir embora de Saginaw e ir para Bay City. Eu não queria, mas fui. Ordens são ordens.

Talvez tenha sido rebeldia, embora eu goste de pensar que foi uma indignação justificada, mas, quando cheguei ao meu hotel em Bay City, peguei os dois contatos de renovação e joguei-os na gaveta superior direita da escrivaninha. Então fui ao maior banco e conversei com o caixa, um homem chamado Reed.

Eu não sabia disso, mas Reed havia acabado de assumir a posição de caixa. Durante nossa conversa, ele tirou uma plaqueta de identificação de metal e disse: "Tenho sua apólice e a plaqueta de identificação de serviço há quinze anos. Comprei quando trabalhava em um banco em Ann Arbor. Fui transferido para cá há pouco tempo".

Agradeci ao Sr. Reed e pedi permissão para falar com os outros funcionários, e ele autorizou. Contei a todos que o Sr. Reed disse que confiava em nossos serviços havia quinze anos e que tinha me autorizado a falar com eles. Resultado: todos compraram.

Com esse impulso, continuei indo de loja em loja, de escritório em escritório. Liguei para bancos, seguradoras e outras grandes instituições. Liguei para todos. Eles não conseguiam resistir! Vendi em média 48 apólices por dia durante as duas semanas em que fiquei em Bay City.

E no sábado da minha partida, em respeito aos nossos segurados, abri a gaveta superior direita da escrivaninha, tirei os contatos de renovação e atendi-os também.

O princípio ficou muito claro para mim: *Faça o que você tem medo de fazer. Vá aonde você tem medo de ir. Quando você foge porque tem medo de algo grandioso, acaba perdendo oportunidades.*

Mais tarde, percebi que eu perdia oportunidades por muitos outros motivos além do medo. E embora seja necessário ter experiência para desenvolver *know-how*, você consegue desenvolver *conhecimento prático* se estiver disposto a aprender com aqueles que estão dispostos a ensinar, com as experiências dos outros e com os livros.

Eu deveria ter percebido isso antes dos dezenove anos, pois é algo que me parece muito óbvio hoje. E, ainda assim, há muitos adolescentes que, assim como eu naquela época, acabam abandonando a escola. Eles brigam com os professores ou não criam bons hábitos de estudo e trabalho, ou querem ganhar dinheiro ou sentem que cresceram e talvez fiquem ofendidos com aquela autoridade cheia de regras.

Infalível

Mas felizmente para mim, como você verá, desenvolvi o desejo e a disposição de aprender com aqueles que estavam dispostos a ensinar e também com os livros. E a disposição para aprender pode transformar o fracasso temporário em sucesso no longo prazo.

FRACASSOS TEMPORÁRIOS, SUCESSOS PERMANENTES

A história de Otto Propach é um bom exemplo da necessidade de adquirir conhecimento específico vindo de outras fontes além da experiência.

Em cada nova atividade, embora você possa ter inspiração, *know-how* e conhecimento técnico para uma carreira de sucesso, geralmente é necessário adquirir conhecimento para se manter atualizado diante das constantes mudanças. Os Estados Unidos têm atraído pessoas incríveis da Europa e das Américas Central e do Sul. Elas têm inspiração, conhecimento e habilidades. Mas, assim como os imigrantes do passado, acham que precisam aceitar trabalhos braçais e aprender o idioma antes de conseguir uma oportunidade de demonstrar seu conhecimento e suas habilidades.

Otto era um dos maiores executivos do setor bancário da Alemanha, mas, quando os nazistas assumiram o poder, ele e sua família sofreram grandes atrocidades e acabaram presos em campos de concentração. Todos os seus bens, exceto as roupas que levavam no corpo, foram-lhes confiscados.

Após a guerra, a família Propach veio para os Estados Unidos, a terra da oportunidade, para recomeçar a vida. Otto tinha 57 anos na época. Estava motivado a fazer as coisas darem certo. Especialista em contabilidade e finanças que era, tinha conhecimento e prática. Mas não conseguia um emprego.

Após tentar por semanas, aceitou um emprego como almoxarife por US$ 32 semanais. Otto continuava tentando procurar empregos em agências de recrutamento. E, aos sábados, ia até os setores de recursos humanos das empresas que encontrava abertas, procurando um emprego em contabilidade, o trabalho que ele sabia fazer bem. Em todas as entrevistas, ele era educadamente rejeitado, pois Otto é o tipo de homem que as pessoas respeitam.

Muitas semanas depois, veio o ponto de virada, quando Otto Propach de repente percebeu que, embora entendesse de contabilidade e finanças e soubesse falar inglês, não conhecia o jargão americano da área.

Ao me contar sua história, ele disse: "Para conseguir um emprego na área contábil – ou em qualquer área especializada, na verdade –, você deve, além de ter conhecimento e experiência na área, ser capaz de usar e entender o linguajar técnico. Esses termos técnicos nunca são ensinados nos cursos de línguas. Eu estava preparado para um emprego na área contábil e financeira nos Estados Unidos em todos os aspectos, menos um: terminologia técnica.

"No sábado seguinte, fui ao escritório do reitor da Universidade de Extensão LaSalle, em Chicago", ele disse. "O reitor foi muito compreensivo e prestativo. Antes de sair do escritório, ganhei de presente dois cursos semestrais consecutivos sobre contabilidade básica, para estudar em casa, com o privilégio de ter meus trabalhos corrigidos e de obter créditos universitários. Também me inscrevi em dois *cursos de extensão*, um de contabilidade avançada e outro sobre contabilidade de custos. Eu só precisava aprender os termos usados pelos americanos.

"A partir daí, estudei todos os dias em casa até tarde da noite e durante todo o dia aos sábados e domingos. Não era só a leitura dos textos que me tomava tempo, mas também a memorização das palavras e expressões, o que era mais difícil por causa do meu conhecimento limitado da língua inglesa de forma geral. Além disso, eu precisava entregar trabalhos escritos para dois cursos todas as semanas, o que às vezes envolvia uma série de longas multiplicações e divisões sem a ajuda de uma calculadora."

Os esforços de Otto no estudo valeram a pena? É claro que sim. Poucos meses após iniciar os estudos, ele conseguiu um emprego como contador júnior por US$ 200 por mês. E, depois disso, sua carreira decolou muito rápido. Como ele explicou: "Eu achava meu trabalho tão interessante e encontrava tantos pontos de melhoria que as horas no escritório não eram suficientes para fazer tudo que eu queria fazer. Eu fazia muitas horas extras. Além disso, continuei fazendo cursos noturnos sobre direito comercial, impostos, auditoria e outros assuntos do gênero. Meu tempo era todo tomado pelo trabalho, mas esse trabalho era prazeroso. Expandiu meus horizontes e me levou adiante como um rio que desce uma montanha rumo ao oceano – de empregos de contador júnior a assessor contábil, a tesoureiro, *controller*, vice-presidente e diretor – tudo isso em um período de poucos anos".

COMO ENCONTRAR O QUE VOCÊ ESTÁ BUSCANDO

Otto Propach transformou a derrota temporária em sucesso permanente porque sabia o que estava procurando e fez algo a respeito. Ele estava procurando oportunidades de trabalhar em uma área em que era especializado, mas, para isso, precisou concentrar seus esforços em muito estudo. E isso deu muito trabalho. Mas, depois de adquirir o conhecimento, ele podia usá-lo da forma que quisesse, e ninguém podia tirar isso dele.

Ele sabia o que queria – conhecimento sobre os termos técnicos usados nos Estados Unidos na área de contabilidade e finanças – e sabia que precisava aprender com outras pessoas.

O coronel John Glenn e as milhares de pessoas que trabalharam para desenvolver a cápsula Mercury também obtiveram sucesso porque cada uma delas sabia o que queria e fez algo a respeito. Os esforços individuais concentrados evidenciaram o conhecimento necessário para uma tarefa bem-sucedida. Cada uma delas aprendeu muito sobre pouco. O conhecimento é encontrado por aqueles que o buscam, e, quando você traça uma meta, as maneiras de atingi-la ficam claras.

Conhecimento prático é mais do que simplesmente fatos e números. Um amigo meu, por exemplo, tem uma memória fotográfica. Consegue ler uma página inteira instantaneamente, e não apenas palavras, frases ou períodos por vez. Ele faz citações de páginas inteiras da enciclopédia, palavra por palavra. Fiquei estupefato quando ele veio até mim e disse: "Clem, você conhece meus dons. Talvez você possa me dizer o que fazer com eles. Como posso usar o conhecimento que tenho?". Esse é um homem que tinha conhecimento e habilidade, mas não sabia o que fazer com aquilo.

Thomas Edison, assim como meu amigo, conseguia ler páginas inteiras instantaneamente. Ele também tinha uma memória fotográfica. Mas ele obteve *conhecimento prático*. Sabia o que estava buscando e encontrou, porque sabia o que precisava para conseguir o que queria. Ele conseguiu extrair os princípios dos fatos que aprendeu e relacioná-los, assimilá-los e usá-los.

Eu também sabia o que estava procurando. Queria desenvolver um sistema de vendas infalível. Portanto, reconheci os princípios envolvidos em cada experiência de vendas, fossem boas ou ruins. Baseei-me nas boas e descartei as que eram prejudiciais.

Você também pode determinar o que quiser. Assim como o coronel Glenn, Otto Propach e Thomas Edison, você pode concentrar pensamentos e esforços em como conseguir o que quer, adquirindo conhecimento com aqueles que estão dispostos a ensinar e também com livros. Também pode adquirir *conhecimento prático* com a experiência, quando estiver inspirado a agir.

Mas em todos os casos você deverá tentar relacionar, assimilar e usar os princípios que o ajudarão a conquistar seus objetivos. Ao desenvolver esse hábito, descobrirá que dá menos trabalho e leva menos tempo acertar do que errar.

Então, veja, *conhecimento* é importante. Mas, como você verá no próximo capítulo, o *know-how* é imperativo para o sucesso. Portanto, se você desejar obter sucesso, aprenda a adquirir *know-how*. Leia o próximo capítulo, sob o título de "Trilhe o caminho correto".

PEQUENAS DOBRADIÇAS QUE ABREM GRANDES PORTAS

Espere aí! Você está lendo as breves histórias deste livro como um simples entretenimento? Se estiver, você não está entendendo nada! Cada episódio contém uma pequena partícula de um princípio imutável. Plante esse princípio em sua vida e veja-o crescer!

Um pensamento surpreendente: é mais fácil *acertar do que errar*! Em outras palavras: o fracasso significa que você trabalhou duro para nada! Com menos trabalho, direcionado sistematicamente, você teria obtido êxito.

Encare seus medos, e certamente irá superá-los.

6
Trilhe o caminho correto

Você já ouviu por aí: "Minha mãe é uma ótima cozinheira, mas ela nunca consegue explicar exatamente como faz suas receitas. 'É só um pouco disso, uma pitada daquilo', diz ela, mas seus cozidos, seu bolo de carne e pãezinhos ficam sempre deliciosos".

Mamãe tem *know-how*.

Qual é a diferença entre o *conhecimento* e o *know-how*? É geralmente a diferença entre o sucesso e o fracasso!

A palavra *know-how* não significa saber como fazer alguma coisa – isso é conhecimento prático. *Know-how* é fazer algo da maneira correta, com habilidade e eficácia e com o menor gasto de tempo e energia possível. Quando você tem *know-how*, pode fazer algo bem feito repetidas vezes. É um hábito, desenvolvido naturalmente com a experiência. *Know-how* é um dos três ingredientes essenciais do *Sistema de sucesso Infalível*.

Mas como se desenvolve o *know-how*?

Apenas fazendo.

Foi assim que desenvolvi o *know-how* de que precisava para vender seguros de acidente. E foi assim que "mamãe" se tornou uma ótima cozinheira. Na verdade, é assim que todo mundo desenvolve *know-how*. A experiência deve ser sua e de mais ninguém.

QUANDO PRECISAR, SAIBA ONDE ENCONTRAR

Abandonei a escola quando estava no ensino médio – vou contar o porquê mais tarde. Após sair da escola, fui fazer um curso noturno de direito. Naquela época, era possível entrar na Faculdade de Direito de Detroit sob o argumento de que os quatro anos de créditos escolares no ensino médio seriam cumpridos de outra forma antes da graduação no curso de direito. Então eu trabalhava durante o dia e ia para a escola à noite. Eu não era visto como um bom aluno, porque não entregava meus trabalhos. Mas aprendi. E me habituei a aprender princípios.

Nosso professor, um dos maiores advogados especializados em direito contratual em Detroit, disse, em sua primeira aula: "O objetivo da escola de direito é ensinar onde encontrar a lei quando você precisa dela, e a escola cumprirá seu objetivo se vocês aprenderem a fazer isso". Acreditei nele. Aceitei sua afirmação de forma bastante literal. E duvido que muitos alunos mais experientes tenham aproveitado tanto quanto aproveitei, porque eu conseguia encontrar a lei quando precisava dela e a usava a meu favor.

Praticamente toda a legislação que um gerente comercial ou executivo de uma seguradora precisa saber pode ser encontrada nos Códigos Estaduais de Seguros, e era neles que eu buscava as leis quando precisava delas. Desenvolvi *know-how* em como usar o conhecimento jurídico que adquiri nos códigos e na escola de direito com bom senso. Não me lembro de nenhum episódio em que tive que enfrentar um problema jurídico que não tenha sido decidido de maneira favorável. Durante esse tempo, eu gerenciava minha própria corretora de seguros, e o *know-how* se tornou inestimável para mim e para as seguradoras que eu representava.

ELE TRANSFORMOU A DERROTA EM VITÓRIA

Essa história me lembra do caso de um garoto que conheci que quase era reprovado todos os anos na escola. Na adolescência, ele teve sorte o bastante para conseguir ser aprovado no ensino médio. Como calouro na universidade estadual, foi reprovado logo no primeiro semestre.

Ele era um fracasso, mas isso era uma coisa boa, pois fez com que ele desenvolvesse um senso de *insatisfação inspiradora*. Ele sabia que tinha a capacidade de conseguir e, refletindo, percebeu que teria de mudar sua atitude e trabalhar duro para compensar o tempo perdido.

Com essa nova atitude mental correta, entrou para um curso técnico e realmente se esforçou. Continuou tentando. No dia da formatura, recebeu o prêmio de segundo melhor aluno da turma.

Não, ele não parou por ali. Candidatou-se a uma das maiores universidades do país, onde os padrões acadêmicos são excessivamente altos e a aprovação é dificílima. Quando o reitor lhe escreveu, em resposta à sua candidatura para entrar na universidade, perguntou: "O que aconteceu? Como você explica seu sucesso no curso técnico após fracassar por tantos anos?". E o garoto respondeu:

"A princípio, foi bem difícil estudar com regularidade, mas, após várias semanas de esforços diários, o estudo se tornou um hábito. Estudar regularmente se tornou algo natural para mim. E houve ocasiões em que eu realmente ansiava por aquele momento de estudo, porque era legal ser 'alguém' na escola e ser reconhecido pelo meu trabalho acadêmico.

"Eu queria ser o melhor da turma. Talvez tenha sido o choque de ter sido reprovado no meu primeiro ano na Universidade de Illinois que tenha me acordado. Foi quando comecei a crescer. Eu tinha que provar para mim mesmo que tinha capacidade."

Por causa da sua atitude mental correta e de seu histórico de conquistas no ensino técnico, esse jovem foi aceito na universidade – e lá também teve um histórico invejável.

Esse é um exemplo de um garoto cujo fracasso na escola o motivou a buscar o conhecimento e a disciplina necessários para estudar. Ele escolheu a escola técnica que frequentou porque o seu ambiente era propício ao desenvolvimento de bons hábitos de estudo. Mas foi só ele que adquiriu o *know-how* por meio de seu esforço contínuo e só ele transformou a derrota em vitória.

A PRÁTICA SUPERA AS DESVANTAGENS

Raymond Berry era doente e limitado fisicamente na juventude. Na fase adulta, ainda tinha um problema nas costas, uma perna mais curta do que a outra, e sua visão era tão fraca que precisava usar óculos muito fortes. E apesar de todas as dificuldades, ele estava determinado a entrar para o time de futebol americano da Universidade Metodista do Sul. Com muito esforço, trabalho duro e treinamento durante todo o ano, Raymond conseguiu. Mais tarde, decidiu se tornar jogador profissional de futebol americano. Após sua última temporada na universidade, todos os times da Liga de Futebol Nacional o dispensaram nas dezenove rodadas do processo seletivo. Por fim, na vigésima rodada, ele foi escolhido pelo time de Baltimore.

Poucos esperavam que ele entrasse no time, menos ainda que se tornasse titular. Mas Raymond Berry estava determinado. Usando equipamento ortopédico nas costas, travas em uma das chuteiras, para tornar suas passadas uniformes, e lentes de contato que permitiam a ele enxergar, praticava repetidamente os padrões de passes em movimento na linha ofensiva. Ele se tornou especialista em bloquear, driblar e pegar passes de todos os ângulos.

Nos dias em que o time de Baltimore não estava treinando, ele corria até um campo de futebol nas redondezas e convencia os garotos do ensino médio a fazerem passes com ele. Mesmo nos saguões de hotel, sempre carregava uma bola, para manter as mãos "acostumadas à pegada".

O que aconteceu? Raymond Berry se tornou o recebedor de passes campeão na Liga de Futebol Nacional. Quando os Baltimore Colts venceram o campeonato da Liga em 1958 e 1959, Berry se tornou uma estrela!

E é fácil entender por que Raymond Berry se tornou campeão: prática, prática e mais prática. *Foi a prática que desenvolveu o know-how.* Dizem que a prática leva à perfeição, pois a prática desenvolve habilidades por meio da experiência ou do treino.

NÃO ESTARÁ COMPLETO SE FALTAR UM

É fácil entender que, quando um elemento de uma combinação está faltando, a combinação não existe. Um trio não é um trio se estiver faltando uma das partes. O *Sistema de sucesso Infalível* é uma tríade, e não será um *Sistema de sucesso Infalível* se qualquer um dos seus ingredientes – *inspiração para agir*, *know-how* e *conhecimento prático* – estiver faltando.

É por isso que uma pessoa que se sai bem em uma atividade pode não se sair bem em outra. Muitos homens que se tornam bem-sucedidos em um negócio ou profissão acabam fracassando em um novo empreendimento. Eles adquiriram habilidades por meio da prática e chegaram ao topo no próprio trabalho. Mas, ao entrar em outro negócio, não estão dispostos a buscar mais conhecimento e a experiência necessária para fazer a nova atividade dar certo.

Infalível

Na escola de direito, faltava-me um ou mais elementos da tríade do sucesso para ser um bom aluno. Mas me senti motivado a encontrar e usar os três ingredientes necessários quando precisei deles nos negócios.

O aluno que foi reprovado não tinha um ou mais dos elementos necessários, mas transformou a derrota em vitória ao usar os três juntos.

Raymond Berry era motivado, buscou conhecimento e adquiriu *know-how*. Assim, usou os três ingredientes mágicos necessários para se tornar um campeão.

DO SUCESSO AO FRACASSO

Richard H. Pickering, uma das pessoas mais maravilhosas que já conheci, era um verdadeiro cavalheiro – um homem de caráter. Era extremamente bem-sucedido como consultor de seguros de vida, pois suas recomendações eram sempre baseadas na resposta para a pergunta que ele se fazia: "O que é melhor para o meu cliente?". Ao longo dos anos, ele acumulou uma pequena fortuna em participações em renovações, pois deixava suas comissões de renovação com a empresa.

Quando completou sessenta anos, decidiu se mudar de Chicago para a Flórida. Os restaurantes lá estavam no auge, e ele queria abrir um, embora não soubesse nada sobre como gerenciar esse tipo de empresa. Sua única experiência havia sido como cliente.

Seu entusiasmo era tanto que ele não se contentou em administrar um restaurante; abriu logo cinco ao mesmo tempo. Vendeu suas participações nas comissões de renovação e investiu tudo que tinha. Em cinco meses, estava encerrando as atividades. Ele estava quebrado.

A experiência do Sr. Pickering não é muito diferente da experiência de outras pessoas bem-sucedidas que não estão dispostas a aprender e adquirir o *know-how* necessário antes de administrar uma nova empresa em grande escala. Se ele tivesse trabalhado no setor de compras, operado um caixa ou administrado o restaurante de outra pessoa especializada nessa área, logo teria adquirido o conhecimento e a experiência, e não teria fracassado. Isso porque o Sr. Pickering era um homem inteligente – e de fato provou ser, voltando para o ramo de seguros de vida, no qual ele tinha conhecimento e *know-how*.

O fracasso aconteceu por falta do conhecimento e da experiência necessários. Agora vou contar a história de outro amigo meu que buscou conhecimento e *know-how* para sua carreira adquirindo experiência enquanto estava na faculdade. Você ficará intrigado com as palavras de motivação que ainda o inspiram a agir.

VOCÊ TEM GARRA – ESSE É VOCÊ

"Você tem garra – esse é você! Foi isso que me inspirou", disse Karl Eller, presidente da Eller Outdoor Advertising Company, aos 33 anos, em uma entrevista concedida durante um café da manhã há pouco tempo.

Entrevistei Karl e sua esposa naquela manhã porque soube que ele havia comprado a regional do Arizona da Foster & Kleiser por um preço estimado em US$ 5 milhões. A entrevista foi agradável, informativa e inspiradora.

"Eu era calouro na escola de ensino médio Tucson e simplesmente aconteceu", Karl disse. "Eu não sabia muita coisa sobre futebol. Nos testes, eu nem tinha uniforme. Mas, por algum motivo, quando o corredor principal do time veio na minha direção, eu fui pra cima dele. Bati forte e derrubei-o. Na tentativa seguinte, ele tentou chegar ao fim da linha de outro jeito, mas novamente eu estava lá para impedi-lo. Isso o enfureceu. Quanto mais ele tentava, mais furioso ficava. E quanto mais furioso ficava, mais fácil era para eu conseguir pegá-lo. Eu o bloqueei seis vezes seguidas.

Infalível

"Depois do treino, eu estava sentado em um banco no vestiário, calçando as meias, quando senti uma mão no ombro. Quando virei e olhei para cima, o técnico perguntou: 'Você já jogou como corredor?'

"'Não, nunca joguei como corredor', respondi.

"Então o técnico disse algo que nunca esqueci: 'Você tem garra – esse é você!'. E então partiu.

"'*Esse é você?*' O que isso significa?, eu me perguntava. No dia seguinte, eu descobri. Fiquei surpreso ao ouvir: 'Karl Eller – corredor-titular', quando o técnico chamou.

"E então me lembrei: 'você tem garra – esse é você'.

"'Esse é você' significava que ele acreditava em mim e estava me confiando uma posição importante. Eu não podia desapontá-lo. Sua fé em mim despertou a minha fé em mim mesmo. Desde então – quando começo a questionar minhas habilidades, quando as coisas ficam difíceis, quando devo fazer algo e não sei exatamente como, digo a mim mesmo: 'Você tem garra – esse é você', e assim a minha autoconfiança é restaurada.

"Ronald T. Gridley, técnico da escola de ensino médio Tucson, sabia como fazer com que um homem desse seu melhor. Ficamos invictos durante 33 jogos e ganhamos catorze dos quinze campeonatos estaduais existentes em todos os esportes. Por quê? Gridley sabia como despertar a inspiração em cada um de nós."

"Você trabalhou durante a faculdade?", eu perguntei.

Karl respondeu: "Quando eu estava na Universidade do Arizona, não precisei pagar aluguel. Judge Pickett me emprestou sua acomodação universitária, e, em troca, eu cortava a grama da sua casa. Eu não tinha despesas com alimentação, pois trabalhava servindo as mesas na sede da república Kappa Alpha Theta. Foi onde conheci Sandy, minha esposa".

Foi então que Sandy interrompeu: "Karl ganhava mais dinheiro na faculdade do que em seu primeiro emprego ao sair da escola. Na escola, ele tinha 25 estudantes trabalhando para ele. Karl fazia de tudo no campus: cachorro-quente, bebidas, doces, sorvetes – tudo que você puder imaginar. Ele publicava e distribuía a *Figi Notes* – seiscentas unidades vendidas por semestre, a US$ 4 cada. Foi publicando os programas de esporte e vendendo o espaço publicitário deles que Karl começou a carreira em publicidade após a formatura".

Para mim, era muito compreensível. Ele era um jovem sorridente com uma personalidade agradável – um herói do time. Todos os homens de negócios de Tucson aproveitavam qualquer oportunidade para conversar pessoalmente com ele, e, quando recebiam a oferta de um anúncio em um programa de esportes ou em uma das revistas ou jornais universitários, os comerciantes compravam prontamente. Então Karl também era um bom vendedor. Ele mantinha seus clientes fiéis ano após ano. Eles pareciam gostar de vê-lo – e ele lhes dava a oportunidade.

Após a formatura, Karl se candidatou a um emprego em uma grande agência publicitária na cidade grande – Chicago. Ele recebeu uma oferta de US$ 25 por semana.

"Então preferi assumir o emprego na Foster & Kleiser Outdoor Advertising Company, aqui em Tucson", disse Karl.

Suas vendas eram meteóricas – assim como seu progresso. Ele foi promovido a gerente comercial da unidade de Phoenix, tornou-se gerente da sede de San Francisco e foi promovido a vice-presidente e gerente da sede de Chicago aos 29 anos.

Então houve uma mudança no controle da empresa e aconteceu uma disputa para ver quem assumiria o cargo de presidente, se seria Karl ou um homem mais velho e mais qualificado. O homem mais velho conseguiu a vaga. Karl pediu demissão e foi trabalhar em outra agência de publicidade em Chicago.

Em uma convenção nacional, ele ouviu boatos de que a unidade regional do Arizona da Foster & Kleiser seria vendida. "Ali estava uma oportunidade", Karl disse, "mas eu não sabia como lidar com ela. E a quantia de dinheiro que aquilo envolvia parecia absurda. Mas, novamente, 'você tem garra – esse é você' voltou à tona na minha mente."

Ele continuou: "Sandy e eu adorávamos o Arizona. Eu conhecia o negócio. As pessoas me conheciam. Tive um desejo irresistível de aproveitar aquela oportunidade. Eu sabia o que queria e sabia que poderia ser um sucesso. Mas, acima de tudo, tinha um enorme desejo de fazer algo grandioso por conta própria. E se eu podia fazer pelos outros, podia fazer por mim mesmo. Porém, não sabia exatamente como fechar o negócio. Na verdade, eu tinha tudo, menos o dinheiro: conhecimento, *know-how*, experiência, uma boa reputação, amigos maravilhosos e contatos profissionais na região de Tucson".

"Mas e o dinheiro?", perguntei.

"Um amigo meu trabalhava no departamento de concessão de crédito do Harris Trust and Savings Bank em Chicago", Karl respondeu. "Ele me apresentou às pessoas certas. Foi estabelecido um acordo conjunto entre o Harris Trust e o Valley National Bank de Phoenix, que concederam um empréstimo a ser pago ao longo de cinco anos. Além disso, nove amigos meus participaram da compra. O acordo prevê que eu tenho a opção de adquirir suas ações a qualquer momento dentro de cinco anos pelo mesmo preço que eles pagaram. Eles recebem diversos tipos de benefícios, inclusive fiscais, por causa da natureza da atividade publicitária. Assim, mesmo se eu exercer minha opção de compra, o negócio é lucrativo para todas as partes."

A história de Karl Eller ilustra claramente que, para resolver um problema ou ter sucesso nos negócios, você não precisa ter todas as respostas previamente – se estiver trilhando o caminho certo –, pois irá se deparar com cada problema à medida que caminha.

VOCÊ NÃO PRECISA TER TODAS AS RESPOSTAS

Para resolver um problema ou atingir um objetivo, você, assim como Karl Eller, não precisa saber todas as respostas antecipadamente. Mas precisa ter uma ideia clara do problema e do objetivo que quer alcançar.

Então comece a pensar naquilo que você realmente quer no curto, médio e longo prazos. Se não estiver pronto para determinar objetivos concretos e específicos de médio e longo prazos, motive-se. Pode ser mais benéfico nesse ponto decidir quais são seus objetivos gerais ou abstratos: ter saúde física, mental e moral; acumular riqueza; ser uma pessoa de caráter; ser um bom cidadão, bom pai ou boa mãe, bom filho ou boa filha. Não importa quais sejam esses objetivos gerais, eles também precisam ser objetivos imediatos.

Todos têm objetivos e metas específicos e imediatos. Por exemplo, o que você pretende fazer amanhã ou o que gostaria de fazer na próxima semana ou quem sabe no próximo mês. E seria mais fácil anotar objetivos específicos imediatos que, quando conquistados, trazem a saúde, a riqueza, a felicidade ou o caráter que você espera conquistar em médio e longo prazos. Mas você precisa querer.

O INGREDIENTE MAIS IMPORTANTE PARA O SUCESSO

Há quem tenha conhecimento e *know-how*, mas não seja bem-sucedido — pois, embora essas pessoas saibam o que fazer e como fazer, não sentem vontade de fazer. Elas não estão inspiradas a agir.

Inspiração para agir é o ingrediente mais importante do sucesso em qualquer atividade humana. E a inspiração para agir pode ser desenvolvida sempre que se queira.

Infalível

Um homem inspirado pode superar todos os obstáculos, porque tem o *poder da ação*. Você irá gerar o *poder da ação* ao seguir as instruções que serão reveladas no próximo capítulo.

PEQUENAS DOBRADIÇAS QUE ABREM GRANDES PORTAS

Know-how é uma das três partes essenciais do *Sistema de sucesso Infalível*. Mas o que exatamente é isso... e como obtê-lo?

Know-how é a qualidade que permite que você faça alguma coisa segundo sua própria vontade, com habilidade, eficiência e usando o menor tempo e esforço possíveis. O *know-how* sempre consegue aquilo que visa alcançar. O *know-how* faz as coisas acontecerem enquanto as pessoas se perguntam se *pode* ser feito. O *know-how* construiu as pirâmides do Egito e as grandes catedrais da Europa; sobrevoou o Atlântico e desintegrou o átomo; dominou a eletricidade e algum dia irá levar o homem à lua. E pode trazer o sucesso para você.

Como obtê-lo? Você não o obtém – você o *acumula*. Fazendo, experimentando, agindo, é assim que ele virá para você. Quando você o tiver, saberá – e assim conhecerá seu poder.

7
Poder de ação

"Vai! Vai! Vai! Vai!", dizia o grito de guerra vindo do banco de reservas do Chicago White Sox. E o rebatedor de fato *foi*! Ele deslizou tranquilamente até a terceira base antes do arremesso do defensor externo.

"Vai! Vai! Vai! White Sox!" se tornou o grito de guerra dos torcedores em 1959 – e foi o que motivou o time do White Sox a ir cada vez mais longe, jogo após jogo, até ganhar o campeonato da Liga Americana.

"Vai! Vai! Vai! White Sox!" motivou cada membro da equipe a se esforçar mais do que nunca. Mas o que é a motivação?

> *A motivação é o que induz a ação ou determina a escolha. É o que dá um motivo. Um motivo é o "forte desejo interno" de cada indivíduo, que o induz à ação, como uma ideia, uma emoção, um desejo ou impulso. É a esperança ou outra força que dá início, em uma tentativa de produzir resultados específicos.*[3]

---
3. *Atitude Mental Positiva*, Napoleon Hill e W. Clement Stone, Citadel Editora, 2015.

Infalível

EMOÇÕES CONFUSAS INTENSIFICAM O PODER DE AÇÃO

Quando emoções intensas, como amor, fé, raiva e ódio se confundem – como no patriotismo apaixonado –, o *poder de ação* que elas geram é uma força propulsora intensa que irá durar toda uma vida. Essa é a verdade das pessoas que prezam a liberdade e que vivem sob a opressão do comunismo. E é a verdade dos patriotas do passado. Eis a história de um deles:

Os cossacos estavam chegando. O filho viu sua mãe e seu pai serem brutalmente espancados e assassinados. Saiu correndo de casa, mas um cavaleiro o alcançou, e ele só sentiu o chicote que o derrubou, caindo no chão ensanguentado. Ao recobrar a consciência, só podia ver os escombros da choupana do seu pai em chamas. Foi naquela hora, naquele lugar, que ele fez uma promessa – a promessa de livrar a Polônia do domínio russo.

Liberdade para a Polônia virou uma obsessão para ele. A imagem que a criança viu – o horror e a dor contidos nela – ficou gravada para sempre na mente do homem. Foi ela que o impeliu a agir.

Aquele homem – o grande pianista Ignace Jan Paderewski – foi nomeado primeiro-ministro e ministro das Relações Exteriores da Nova República da Polônia em janeiro de 1919 e mais tarde se tornou presidente do Conselho Nacional da Polônia.

Antes de sua morte, Paderewski ainda testemunhou os poloneses perdendo a liberdade novamente, mas seu trabalho não foi em vão. A Polônia ainda é uma nação, e seu povo tem o patriotismo apaixonado que irá despertar a força de vontade para que reconquistem a liberdade definitiva.

Paderewski tinha a *força de vontade* que o incitou a agir.

Você também tem *força de vontade*.

E, neste capítulo, aprenderá como gerar, intensificar e liberar sua *força de vontade*. *Força de vontade* é o "desejo interno" que impulsiona os homens a irem atrás de todos os seus desejos. Você poderá usá-la para conquistar riqueza, saúde, felicidade, e para fazer o bem para outras pessoas, pois, se a inspiração à ação for forte o suficiente, ela irá motivá-lo a agir.

E a maior motivação de todas é o amor.

A MAIOR MOTIVAÇÃO DE TODAS

Quando eu estava na sexta série, decidi que queria ser advogado. Foi por isso que, ao entrar para o ensino médio, interessei-me por matérias como matemática, para me ajudar a pensar logicamente; história, para me ajudar a entender o passado e o presente e prospectar o futuro; gramática, que me daria a oportunidade de expressar meus pensamentos; além da filosofia e da psicologia, que me fariam entender o funcionamento da mente humana. Entrei para o Clube de Debate da escola Senn principalmente para me tornar especialista em argumentação.

Mais tarde, entrei para a Escola de Direito de Detroit, mas abandonei o curso após um ano porque decidi que queria me casar aos 21 anos. E eu sabia que a garota com quem me casaria seria a maior influência positiva na minha vida. É verdade, como todo mundo sabe: *um marido ou uma esposa é a maior influência ambiental* de qualquer homem ou mulher.

Abandonei o curso de direito porque senti que não conseguiria ganhar bem como advogado antes dos 35 anos. A captação de clientes é considerada antiética na advocacia, mas, como vendedor, eu poderia ligar para todos os clientes potenciais que quisesse. Minha renda seria proporcional à minha habilidade e à forma como eu a aplicasse – e eu sabia que conseguia vender. Além do mais, considerei que era possível ganhar e economizar dinheiro suficiente para me aposentar aos trinta anos, voltar para a faculdade, estudar direito e iniciar uma carreira jurídica e política. "Além disso", eu disse para mim mesmo, "assim poderei assumir apenas os casos que eu quiser – não os que eu precisar".

Infalível

Conheci Jessie no ensino médio. Nosso namoro e meu amor por ela podem ser expressados pela letra da música *"Why I love you"*, de Mary Carolyn Davies:[4]

> Why do I love you?
> I love you, not only for what you are,
> But for what I am when I am with you.
> Not only for what you have made of yourself,
> But for what you are making of me.

Após dois anos na escola Senn, mudei-me para Detroit e entrei para a escola Northwestern. Trocávamos cartas com frequência. Jessie e sua mãe às vezes vinham nos visitar, e eu viajava muito para Chicago. Concluí que seria melhor abrir minha própria corretora de seguros em Chicago. Minha mãe escreveu para Harry Gilbert, que era o representante da *United States Casualty Company* e da *New Amsterdam Casualty Company*, que nos atendia. Como você deve lembrar do Capítulo 5, Harry Gilbert foi o precursor das apólices de seguro pré-emitidas nos Estados Unidos.

O Sr. Gilbert respondeu que adoraria que eu representasse as duas empresas em Illinois, mas primeiramente eu teria que pedir ao agente geral de Chicago uma autorização para estabelecer uma conexão que me permitiria trabalhar em regime de *home-office*, pois ele já tinha um acordo de exclusividade.

---

[4]. Autorizado pelo detentor dos direitos autorais. Direitos autorais de 1954, Midway Music Company. Tradução livre: Por que eu te amo? Te amo não apenas pelo que você é, mas pelo que sou quando estou com você. Não apenas pelo que você se tornou, mas por aquilo que você me faz ser.

SE VOCÊ QUER ALGO, CORRA ATRÁS

Consegui marcar um encontro com o agente geral. Eu só precisava *vender* para ele. Todos os meus planos dependiam da sua permissão. Mas eu era um vendedor nato, e minha experiência me dizia que, se você quer algo, precisa correr atrás. O agente geral era muito educado, e nunca vou me esquecer do que ele disse:

"Eu vou autorizá-lo. Mas você vai quebrar em seis meses. É difícil vender em Chicago. Se você contratar agentes, só terá problemas e ainda perderá dinheiro".

Serei sempre grato a ele por não tentar interferir na minha oportunidade.

Então, em novembro de 1922, abri minha corretora com o nome de Combined Registry Company. Meu capital de giro era de cem dólares, mas eu não tinha dívidas e minhas despesas gerais eram baixas, pois eu alugava um espaço comercial que pertencia a Richard H. Pickering por US$ 25 mensais. O Sr. Pickering era uma verdadeira inspiração para mim, e seus conselhos eram sempre muito úteis. Por exemplo, quando precisei colocar meu nome na lista da recepção, ele me perguntou:

— Como você quer que seu nome apareça na lista?

— C. Stone –, respondi. Na escola, e até então, era como eu assinava meu nome.

— Você está com vergonha de alguma coisa? – ele perguntou.

— O que você quer dizer com isso?

— Bom, você não tem um primeiro nome e um segundo nome?

— Sim, é William Clement Stone.

— Você já parou para pensar que há milhares de C. Stones? Mas é possível que, em todos os Estados Unidos, só haja um W. Clement Stone.

Aquilo mexeu com a minha autoestima. "Só um W. Clement Stone", pensei. E desde então, é assim que assino meu nome.

Meu casamento estava marcado para junho. Eu queria poupar o máximo que conseguisse antes da data, então não tinha tempo a perder. No meu primeiro dia, trabalhei na rua North Clark, no parque Rogers, a poucas quadras de onde eu estava hospedado. Fechei 54 vendas naquele dia. Então eu soube que seria fácil vender em Chicago e que, portanto, eu não quebraria em seis meses.

Eu estava motivado a trabalhar bastante para firmar minha empresa e conseguir o dinheiro de que precisava para me casar com a garota que eu amava. Isso é compreensível, pois você pode usar a razão para se motivar e apelar para a razão para motivar outras pessoas, mas é o *forte desejo interno* dos seus sentimentos, emoções, instintos e hábitos arraigados que lhe dá a *força de vontade* que faz você agir.

PARA MOTIVAR, TOQUE A ALMA

Uma das melhores maneiras de inspirar outras pessoas a agir da maneira desejada é contando uma história que toque suas emoções. Em uma reunião comercial, a leitura do seguinte trecho de uma carta de Jean Clary fez com que os vendedores agissem.

> *Há seis semanas, minha filha Pamela, de seis anos, veio até mim e disse: "Papai, quando você vai ganhar o seu Rubi?" (Esse era um prêmio concedido a uma meta de vendas e receitas arrojada dentro de determinado período de tempo.) "Quando você vai conseguir fechar cem apólices por semana? Papai, tenho pedido a Deus todas as noites para que ele o ajude a conseguir seu Rubi. Estou pedindo há várias noites, papai, e acho que Ele não está ajudando você." A fé de uma criança em Deus, a fé de uma criança em seu pai – tão inocente, tão honesta, tão sincera. Respondi à*

minha filha após pensar e ponderar por muito tempo, pois percebi que ela estava confusa e não entendia por que Deus não me ajudava. Minha resposta foi: "Pam, Deus está ajudando o papai, mas acho que papai não está ajudando Deus". Na verdade, eu não estava me ajudando. Eu estava pagando o preço do fracasso. Por quê? Porque eu não estava nem tentando. Eu estava dando desculpas e justificativas. Eu estava culpando a todos, menos a mim mesmo. Até onde vai a cegueira de um homem? Foi ali que tomei a decisão...

No restante da carta, Jean listava as diversas realizações motivadas pela intensidade dos sentimentos por sua filha que o inspiraram com *força de vontade*.

A FÉ É A MOTIVAÇÃO SUBLIME

Jean conseguiu seu Rubi, e as preces de Pamela foram atendidas.

Jean sempre teve *força de vontade*. Todos têm *força de vontade*. Mas foram as preces de Pamela que despertaram a autossugestão da insatisfação inspiradora expressada por Jean em seus pensamentos: "Eu não estava me ajudando. Eu estava pagando o preço do fracasso. Por quê? Porque eu não estava nem tentando. Estava apenas dando desculpas e justificativas. Eu culpava a todos, menos a mim mesmo. Até onde vai a cegueira de um homem?".

A *inspiração para agir* despertou a *força de vontade*.

A fé é a motivação sublime, e a oração, enquanto expressão da fé, acentua a liberação da força propulsora das nossas emoções. Um caso para ilustrar: aconteceu em San Juan, Porto Rico, não muito tempo atrás, quando Napoleon Hill e eu estávamos ministrando um seminário de três noites chamado "Ciência do Sucesso". Na segunda noite, pedimos que todos na plateia aplicassem os princípios no dia seguinte. E cada um deveria relatar os resultados obtidos.

Entre os voluntários na terceira noite, havia um contador, que disse o seguinte:

– Cheguei hoje de manhã no trabalho, e meu gerente-geral, que também está participando desse seminário, chamou-me no seu escritório. 'Vejamos se uma *Atitude Mental Positiva* funciona', ele disse. "Sabe, temos aquela cobrança de US$ 3 mil que está há meses atrasada. Por que você não faz a cobrança? Ligue para o gerente da empresa e, ao ligar, mantenha uma AMP – *Atitude Mental Positiva*. Vamos começar com aquilo que o Sr. Stone chama de iniciativa: *Faça agora!*

"Fiquei tão impressionado com o que você disse ontem à noite, que todo mundo pode fazer seu próprio subconsciente trabalhar para si, que, quando meu gerente me mandou fazer a cobrança, decidi também tentar fazer uma venda.

"Quando saí do escritório, fui para casa. No silêncio da minha casa, decidi como exatamente iria fazer aquilo. Orei com toda a sinceridade e esperança de conseguir ajuda para fazer a cobrança e uma venda importante.

"Eu acreditava que obteria resultados específicos. E foi o que obtive, pois cobrei os US$ 3 mil e fiz uma venda extra de mais de US$ 4 mil. Ao sair, meu cliente disse: 'Você me surpreendeu de verdade. Quando chegou aqui, eu não tinha nenhuma intenção de comprar. Nem sabia que você era vendedor. Achei que fosse um contador'. Aquela foi minha primeira venda em toda a minha carreira empresarial."

Esse contador era o mesmo homem que, na noite anterior, teve a coragem de perguntar: "Como posso fazer meu subconsciente trabalhar para mim?". E ele ouviu sobre definição de metas, insatisfação inspiradora, automotivação e iniciativa. Também aprendeu que deveria escolher um objetivo imediato específico e correr atrás dele. E também aprendeu o seguinte:

1. Você chega ao seu subconsciente por meio da repetição verbal. O subconsciente é profundamente afetado por autossugestões feitas sob estresse emocional ou por emoções.
2. O maior poder que um homem tem é o poder da oração.

Ele ouviu, parou para pensar. Associou e assimilou os princípios. Orou com sinceridade, reverência e humildade, pedindo orientação divina. Acreditou que conseguiria e, por acreditar, conseguiu. E quando isso aconteceu, não se esqueceu de fazer uma oração sincera como forma de agradecimento.

A INSPIRAÇÃO GERA CONHECIMENTO E SABEDORIA

Certa noite, durante uma aula do curso "A ciência do sucesso", um professor de música que também trabalhava meio período como "trocador de discos" em uma grande estação de rádio da cidade se levantou e me perguntou:

"Como a AMP pode me ajudar? Por toda a minha vida, nunca vou conseguir ganhar mais do que uma média de US$ 100 por semana como professor de música. É isso que ganha em média qualquer professor de música".

Imediatamente, respondi: "Você está absolutamente certo! Você nunca vai conseguir ganhar mais do que US$ 100 por semana – *se assim você acreditar*. Mas, se escolher acreditar que pode ganhar US$ 250, US$ 300 ou US$ 350, ou qualquer outro valor específico, será tão fácil ou tão difícil quanto ganhar US$ 100 por semana. Lembre-se da famosa frase motivacional de Napoleon Hill: *Tudo que a mente pode conceber e acreditar, ela pode conquistar*. Repita diversas vezes ao longo do dia. Diga com *emoção* e *sentimento* pelo menos cinquenta vezes hoje à noite. Então defina seus objetivos. E sonhe alto! E parta para a ação. Depois, quero que me conte o que vai acontecer!".

Três meses e meio depois, esse professor escreveu:

"Saí de um labirinto desde que comecei esse curso de AMP. Minha saúde está melhor do que nunca. Minha renda média nas últimas dez semanas chegou a aproximadamente US$ 370 – US$ 380 por semana. Apesar das muitas horas que dedico, minha atitude é sempre muito alegre e positiva".

Na noite em que o professor de música perguntou "Como uma AMP pode me ajudar?", ele não apenas *ouviu* a resposta que eu lhe dei – ele *escutou*! *Ouvir* não necessariamente significa atenção ou aplicação, mas *escutar*, sim. E ele escutou as mensagens que se aplicavam a ele. Começou a reconhecer e entender a força construtiva da atitude mental correta na palavra *acreditar*. E passou a usar essa força.

Quando escreveu sua carta, ele ainda ensinava música e trocava discos na mesma estação de rádio. Era o mesmo homem. O que havia acontecido então? Quem fez acontecer? Ele acatou a sugestão. Usou a autossugestão, como havia sido orientado. Mudou sua crença de "não é possível" para "é possível"! Ele ousou sonhar alto.

Certa tarde, quando um famoso ator apareceu na estação de rádio como artista convidado, o professor de música decidiu agir. Ele teve a iniciativa, lembrando-se da frase *Faça agora*!

Ele falou de maneira tão apaixonada sobre a felicidade que é despertada quando aprendemos a amar a música ao tocar um instrumento musical que o ator pediu que o professor lhe ensinasse. Esse ator podia pagar o valor cobrado por um especialista que estava disposto a adequar sua agenda da forma como melhor conviesse ao aluno.

Por causa da sua atitude mental, o professor reconheceu os princípios e desenvolveu o *know-how* a partir dessa experiência. Quando outras celebridades ou artistas convidados vinham até a estação de rádio, ele lhes vendia a alegria de aprender a amar a música. Dizia a eles como era fácil aprender se os alunos fossem bem ensinados. Ele apenas repetiu o procedimento que havia funcionado bem com o ator. E isso é *know-how*.

Foi assim que o professor de música adquiriu o *conhecimento* para aumentar sua renda. Além de ensinar música, ele procurou outras formas de ganhar mais – e, como procurou, acabou encontrando o que procurava.

SEJA SUA PRÓPRIA MOTIVAÇÃO

"Procure e encontrarás" é uma verdade universal. Aplica-se à busca de autoinspiração para agir, à busca de *know-how* e à busca de conhecimento.

Em cada exemplo dado neste capítulo, foram sugestões externas que despertaram o pensamento individual. Seus pensamentos, as palavras que você diz, as coisas que você faz – todos eles são autossugestões. Você tem a capacidade de criar autossugestões a partir dos seus pensamentos e, ao repetir esses pensamentos e reagir a eles com ações repetidamente, você cria um hábito. Ao direcionar seus pensamentos, você pode construir e controlar os hábitos que deseja adquirir, substituindo velhos hábitos por novos.

Se, por exemplo, você pensar em fazer uma boa ação específica e *reagir conscientemente realizando* a ação específica sempre que aquele pensamento lhe vier à mente, você logo desenvolverá o hábito de fazer aquela boa ação.

E é assim que você desenvolve conscientemente o desejo interno que o inspira a agir. É a *força de vontade* que o ajuda. Você pode gerá-la e usá-la para conquistar coisas incríveis.

Seguindo a leitura, você verá que pode usá-la intencionalmente para acumular riquezas, ter saúde e felicidade e fazer do mundo em que vivemos um lugar melhor.

Infalível

Os fortes estímulos de nossas emoções, paixões e instintos herdados e outras tendências do nosso passado evolutivo serão tratados mais tarde. Eles criam desejos internos que nos fazem agir – para fazer as coisas que devemos fazer e, às vezes, as coisas que não devemos fazer.

Às vezes haverá um conflito entre os desejos internos que você desenvolve conscientemente e aqueles que são herdados. Mas os conflitos podem ser neutralizados se você selecionar os pensamentos apropriados, realizar atividades adequadas e escolher um ambiente propício. Assim, podemos realizar o propósito daqueles fortes desejos herdados e ainda assim nos inspirarmos a usá-los de forma a levar vidas felizes e íntegras, sem violar nossos padrões morais mais elevados.

A *força de vontade* é o desejo interno que libera a força infinita do subconsciente de cada indivíduo. Mas todos precisamos de ajuda de outras pessoas, e o próximo capítulo mostra como você pode fazer isso por meio de inspiração, *know-how* e conhecimento.

PEQUENAS DOBRADIÇAS QUE ABREM GRANDES PORTAS

A *força de vontade* é o motor mágico do seu espírito. É o desejo interno que o conduz ao sucesso. O combustível dela é a emoção, o desejo ou o impulso.

Para desenvolver *força de vontade*, todas as noites, durante dez dias, repita ao menos cinquenta vezes: *Tudo que a mente pode conceber e acreditar, ela pode conquistar.*

Quando a *força de* vontade o faz realizar uma boa ação, reaja conscientemente. Sempre que fizer isso, você melhorará sua capacidade de despertar sua *força de vontade* segundo sua própria vontade.

PARTE III

UMA JORNADA ATRIBULADA

Resolva cada problema ao encontrá-lo

O sucesso é conquistado por quem tenta!

Problemas são oportunidades disfarçadas

Não tenha medo do desconhecido

Autossugestão faz você ter domínio de si mesmo

Quando o caminho fica difícil, a dificuldade caminha ao lado

8
Selecionei uma excelente tripulação

O *Tuntsa*, um veleiro de quase dez metros de comprimento, partiu silenciosamente do porto de Helsinki rumo à América. A bordo, havia seis homens e três mulheres. Apenas um já havia estado em um veleiro antes. Todos estavam arriscando suas vidas por liberdade – liberdade da força esmagadora da Rússia comunista.

"Arremessados e arrebatados por mares implacáveis e fortes vendavais, largados à deriva na lentidão do mar dos Sargaços ou lutando contra a fome, a tripulação do *Tuntsa* sempre conseguiu ter a coragem e a desenvoltura necessárias para sobreviver." Teppo Turen, um dos líderes da expedição, conta a trajetória no livro *Tuntsa*, uma história real e simbólica – não apenas sobre o mar, mas também sobre a natureza humana.

Conversei diversas vezes com Teppo sobre o *Tuntsa* muito antes de ele escrever seu livro, pois Teppo Turen é meu sócio nos negócios. E quando Teppo me contava sua história, eu pensava: "Está aí outro exemplo em que a força do desejo interno despertou a inspiração para agir, provando novamente a possibilidade do improvável".

Infalível

Teppo e sua tripulação provaram a possibilidade do improvável, pois estavam inspirados a arriscar as próprias vidas por liberdade. Mas, como muitos que entram em novos empreendimentos, eles não tinham *conhecimento* nem *know-how* – pois o conhecimento deve ser aprendido, e o *know-how* deve ser adquirido por meio da experiência.

Mas, quando você tem um desejo ardente que o induz a agir para atingir seu objetivo, encontra os meios para adquirir o *conhecimento* e a *experiência* que lhe garantirão o *know-how*. Antes de partir de Helsinki, Teppo Turen buscou conhecimento técnico sobre navegação nos livros e em conversas com navegadores experientes. E, velejando, adquiriu o *know-how* necessário para pilotar um pequeno barco.

É assim que se adquire conhecimento: procurando. Você também pode encontrá-lo nos livros e em conversas com outras pessoas. Mas, assim como a tripulação do *Tuntsa*, você só adquire *know-how* de verdade fazendo.

Quando a tripulação partiu de Helsinki naquele esquisito barco recauchutado de dez metros de comprimento, sabia que enfrentaria problemas. Mas, felizmente, não conhecia todos os perigos que eles enfrentariam na jornada, assim como você não sabe quais problemas enfrentará para atingir seus objetivos distantes. Fome, sede, tempestades, o mar dos Sargaços, nem mesmo um naufrágio em um recife de corais impediu que Teppo Turen e os outros tripulantes inspirados chegassem ao seu destino. Porque eles, assim como todos que são bem-sucedidos em qualquer grande projeto, resolveram cada um dos problemas ao se depararem com eles. Eles se ajudaram. E foram ajudados por forças que conheciam e outras que desconheciam ao partirem. *Eles seguiram o caminho*, apesar de todos os obstáculos que encontraram.

TENHA CORAGEM DE ENFRENTAR O DESCONHECIDO

É por isso que muitas pessoas conseguem – porque começam visando um destino específico e seguem o caminho até chegar lá. É difícil pará-las. Também é por isso que muitas fracassam – elas nem saem do lugar, não superam a inércia. Elas nem começam.

É uma lei universal. *É mais difícil quebrar a inércia ao começar em um ponto de repouso do que continuar a dinâmica de um corpo que já está em movimento.*

É o medo do desconhecido que impede que uma pessoa comece, embora ela possa ter um forte desejo. Outras podem temer, mas mesmo assim começam – e, depois que começam, não permitem que nada as interrompa.

Anteriormente, você leu sobre a automotivação *Faça agora!* É isso que chamo de iniciativa, pois ela me faz agir. Vou lhe contar como você também pode aprender a usá-la.

1. Repita *Faça agora!* para você mesmo cinquenta vezes ou mais de manhã e à noite e sempre que você lembrar durante o dia, pelos próximos dias. Isso inevitavelmente ficará impresso no seu subconsciente.
2. Sempre que precisar fazer algo que não está com vontade de fazer e as palavras de iniciativa *Faça agora!* vierem à tona, aja *imediatamente*!

Quando sentir medo do desconhecido, mas tiver um desejo de fazer a coisa certa porque é o certo, diga a si mesmo: *Faça agora!* E, então, aja imediatamente. É isso que eu faço. Adquiri o hábito de usar as palavras de motivação *Faça agora!* É uma técnica que aplico com sucesso para neutralizar minhas emoções herdadas e meu medo por meio da autossugestão.

Ainda assim, foi só muitos anos após criar uma organização comercial que comecei a ensinar aos meus representantes as técnicas que aprendi para direcionar meus pensamentos e controlar minhas emoções.

CONSTRUA UMA BASE SÓLIDA

Todos os membros da tripulação do *Tuntsa* se voluntariaram – e o primeiro vendedor que contratei também se voluntariou. Aconteceu da seguinte forma:

Certa manhã, numa segunda-feira, logo após abrir minha corretora, eu estava vendendo de porta em porta em um prédio comercial em Chicago. Vendi uma apólice para um corretor de imóveis de meia-idade que me perguntou: – Onde fica o seu escritório?

– Rua LaSalle, número 29 –, respondi.

Ao meio-dia, ao voltar para o escritório para verificar minha correspondência, lá estava meu cliente, o corretor de imóveis, esperando-me. Ele pareceu tão surpreso ao descobrir que eu, um vendedor de vinte anos, era o gerente, quanto eu fiquei ao ver um cliente pedindo um emprego.

Eu havia decidido não contratar vendedores no primeiro ano. Sabia que conseguiria obter bons rendimentos se dedicasse todos os meus esforços a vender pessoalmente. E também sabia que seria necessário muito esforço, dinheiro e meu precioso tempo dedicado às vendas se eu quisesse construir uma organização comercial, e não queria desperdiçar nenhum deles. Como eu recebia todas as comissões nas minhas vendas pessoais, mas apenas um terço da comissão bruta das vendas dos outros vendedores, seriam necessários muitos vendedores para produzir comissões líquidas equivalentes ao que eu poderia ganhar por conta própria.

Ainda assim, contratei o corretor de imóveis como meu primeiro vendedor, pois ele tinha experiência em vendas e era um homem de caráter – e caráter é a primeira coisa que um gerente comercial deve procurar ao entrevistar potenciais vendedores. Além disso, dei-me conta de que eu tinha tudo a ganhar, e nada a perder. E estava certo, pois esse vendedor continuou trabalhando para mim e apresentando bons resultados por muitos anos.

Porém, a lição a ser aprendida a partir dessa experiência só me veio à mente muitos anos mais tarde: você pode construir uma organização ao contratar seus clientes para trabalhar para você. Mas percebi então, como percebo agora, algo ainda mais importante: *você deve construir uma base sólida para o seu negócio antes de expandir.*

Um bom vendedor pode ter a inspiração de abrir um negócio por conta própria e se tornar um proprietário. Mas talvez ele não tenha o *conhecimento* e o *know-how* necessários para administrar o negócio. Ele fica tentado a tomar um desses dois caminhos – um que leva à falência e ao fracasso, e outro que leva à mediocridade – em vez de tomar um terceiro caminho curto que levaria ao sucesso.

Caminho 1: ele não tem capital de giro. Ainda assim, tenta garantir seu sustento com o trabalho dos novos vendedores que contrata. As despesas da empresa e suas despesas pessoais são muito superiores à sua renda. Ele se endivida e vai à falência. Tudo isso porque deixou de dedicar *seu tempo e esforço pessoais à atividade de vendas*. Esse é o caminho rumo à falência e ao fracasso.

Caminho 2: ele tem capital de giro. Contudo, é um vendedor tão incrível que se dedica de forma exclusiva a vender pessoalmente. Não investe o tempo, o esforço e o dinheiro necessários para construir uma organização comercial, então ele não é nada mais do que um vendedor com uma comissão de gerente comercial. Ele não chega a

Infalível

falir, mas como gerente comercial é um fracasso. Esse é o caminho que leva os empresários à mediocridade.

Caminho 3: aqui, novamente, ele não tem capital de giro. Mas garante uma renda e solvência por meio de suas vendas pessoais e contrata um vendedor de cada vez, apenas quando puder absorvê-lo. Assim, ele constrói uma organização e, quando sua organização for suficientemente grande, passa a dedicar seus esforços exclusivamente à gestão do negócio.

UM CACHORRO-QUENTE E UM COPO DE LEITE

Um bom vendedor confia em si mesmo. Ele sabe o que pode fazer, e a necessidade geralmente o obriga a agir dessa forma.

Quando eu vendia pessoalmente, minha renda podia ser considerada excessivamente alta. Ainda assim, sempre parecia faltar dinheiro. Prestações do carro, móveis novos, seguro de vida. Talvez por comprar tudo que queria, eu precisava trabalhar muito para pagar as contas.

Saía de casa de manhã com pouquíssimo dinheiro, pois sabia que teria grandes somas ao final do dia. Por exemplo, na primeira vez que trabalhei em Joliet, Illinois, cheguei às oito e meia da manhã com dez centavos no bolso. Isso não me incomodava: pelo contrário, era a minha inspiração. Fiz o *check-in* no Hotel Woodruff Inn e então atravessei a rua para tomar meu café da manhã – um cachorro-quente e um copo de leite (houve muita inflação desde então).

Joliet ficava a cerca de setenta quilômetros de casa, mas ainda assim eu ia de trem, em vez de dirigir, e ficava em um hotel, em vez de voltar para casa todas as noites. No trem eu relaxava, pois desenvolvi a habilidade de dormir em qualquer lugar, sob quase quaisquer circunstâncias. Então, em um vagão de trem, eu só colocava meu cotovelo no parapeito da janela, repousava a cabeça e pegava no sono.

Mas havia algo que eu sempre fazia antes de adormecer: condicionar a mente e orar pedindo orientação e ajuda.

Ao ficar em um hotel, em vez de voltar para casa todas as noites, eu conseguia dormir pelo menos dez horas por noite, pois economizava o tempo da viagem. Com o sono extra, eu ficava na minha melhor forma. Quando saía para vender, estava focado e dava meu melhor nas minhas apresentações comerciais.

FIQUE ATENTO

Muitos vendedores têm dias fracos porque estão cansados. Suas baterias precisam ser recarregadas. Eles precisam descansar. Mas, ao ligar para os meus clientes potenciais, eu estava descansado. E, repito, antes de ligar para um cliente potencial, eu condicionava minha mente.

Ao fazer minha apresentação de vendas, minhas energias se concentravam em apenas uma coisa – o trabalho a ser feito: fechar a venda no menor espaço de tempo possível de forma que o comprador entendesse claramente o que estava comprando e plantar sementes de pensamento que o fizessem renovar a apólice dali a um ano, na data de renovação, com pouca resistência. Isso porque percebi que:

> *Uma forma de fazer fortuna é vender uma necessidade de baixo custo e que se repita. A fortuna acontece na repetição do negócio.*

DETERMINADO A SE MULTIPLICAR

Em Joliet, bati meu recorde de vendas até aquele momento: uma média de 72 apólices por dia, em nove dias de trabalho. E foi na manhã após aquele dia agitado em que vendi 122 apólices que decidi me multiplicar – começar a construir uma organização de vendas.

No final daquele dia eu estava feliz, mas cansado. Fui para a cama mais cedo que o habitual e à noite sonhei que estava vendendo apólices. Na manhã seguinte, percebi que havia atingido meu nível máximo de vendas pessoais.

Durante o café da manhã, pensei: "Se eu fizer 122 vendas por dia e continuar vendendo apólices nos meus sonhos, isso não vai me ajudar a ter uma mente saudável. Chegou a hora de construir uma organização. Chegou a hora de me multiplicar". E quando encerrei os trabalhos em Joliet, cumpri a promessa que fiz a mim mesmo de contratar vendedores imediatamente.

Quando fiz isso, algo maravilhoso aconteceu: descobri forças que antes não conhecia. Ampliei meus horizontes, pois reconheci um princípio que eu conseguia enxergar e, quando isso aconteceu, vi a oportunidade e a aproveitei. O que vi e o que fiz marcaram o início de um império financeiro. Era muito simples: coloquei um anúncio de quatro linhas procurando vendedores na seção de classificados do jornal dominical *Tribune*, de Chicago.

Eu tinha inspiração para agir, mas não tinha o *know-how* e o conhecimento sobre como contratar. No entanto, após pensar muito, criei aquele anúncio de quatro linhas que passou por pouquíssimas mudanças ao longo dos anos. Ele dava resultados – às vezes, resultados fantásticos.

AGARRE A OPORTUNIDADE QUE VOCÊ CRIAR

"Excelente oportunidade de ganhos" era a frase principal. O número de pessoas que ligaram para o meu escritório por conta do anúncio foi mais do que satisfatório. Mas o mais incrível para mim foi o número de candidatos que me escreveram de fora de Chicago: sul de Illinois,

Indiana, Wisconsin, Michigan e diversos outros lugares. Eu não havia me dado conta do potencial que um anúncio em um jornal dominical local tinha de chegar além dos limites da cidade, mas logo decidi agarrar a oportunidade que vi – a possibilidade de expandir para além da cidade de Chicago e do estado de Illinois.

Então imediatamente escrevi para Harry Gilbert e informei que eu tinha um possível vendedor em Wisconsin e outro em Indiana. "Você estaria de acordo com essa contratação?", perguntei. Achei que não era muito inteligente designar mais do que dois antes de estar com as coisas encaminhadas. Enviei a pergunta sobre Michigan para a minha mãe, em Detroit.

Os cinco dias de ansiedade durante os quais esperei pela resposta pareceram extremamente longos. Mesmo antes de receber uma resposta, contratei dois rapazes para Chicago, escrevi para outros que haviam mandado candidaturas de outras partes do estado e saí para vender em quatro dos cinco dias. Eu precisava faturar imediatamente.

No sábado, a carta do Sr. Gilbert chegou. Ele foi lisonjeiro e favorável e me autorizou a contratar os candidatos de Wisconsin e Indiana. O Sr. Gilbert não tinha representantes para o seu Departamento de Apólices Especiais em nenhum daqueles estados. Então escrevi para os candidatos (nem passou pela minha cabeça sugerir uma entrevista pessoal), e eles aceitaram a oferta. Pensei: "Se o Sr. Gilbert me autorizou a contratar um candidato em cada estado, então ele me autorizaria a contratar mais".

Aquela foi uma oportunidade excepcional para mim, e decidi aproveitá-la. Além de continuar a anunciar no *Tribune*, de Chicago, publiquei anúncios nos jornais dominicais de Milwaukee e Indianapolis. Resultado: mais candidaturas, mais vendedores nesses estados, além de candidaturas de outros estados.

Infalível

Novamente, escrevi para o Sr. Gilbert, e foi apenas uma questão de tempo até estar contratando vendedores em todos os estados em que ele não tinha uma agência do seu departamento. Percebi que havia chegado em uma fórmula de sucesso, e agora era questão de aproveitá-la ao máximo.

PEÇA CONSELHOS A QUEM PODE AJUDÁ-LO

A estruturação via correio da minha organização comercial progrediu rapidamente. Mas eu continuava saindo para vender, pois precisava da renda. Minha rotina era responder cartas pela manhã, vender até as cinco da tarde e então voltar para o escritório por cerca de uma hora para terminar as rotinas administrativas ainda pendentes. Eu preferia trabalhar no centro de Chicago, pois assim conseguia passar mais tempo no escritório.

Naturalmente, com o crescimento do negócio, foi necessário expandir minhas instalações físicas. Então abri mão do meu espaço comercial alugado do Sr. Pickering e estabeleci meu próprio escritório. A princípio, também alugava espaços comerciais para outras pessoas, de forma a reduzir as despesas gerais. Segundo meu acordo com as seguradoras que eu representava, a empresa era minha, portanto, eu deveria pagar todas as despesas, exceto a impressão de apólices e o pagamento de indenizações.

Logo, expandi meu anúncio de forma a incluir revistas de circulação nacional, e chegaram candidaturas de estados onde o Sr. Gilbert já tinha agências estabelecidas. Então escrevi para ele, falando sobre essas candidaturas, e lhe pedi um conselho.

Harry Gilbert era um homem generoso e estava satisfeito com o volume de vendas que eu estava produzindo. Ele queria me ajudar, então sugeriu que eu escrevesse sobre suas recomendações para E.C.

Mehrhoff, que trabalhava na Commercial Casualty Insurance Company em Newark, Nova Jersey.

Ali novamente aprendi uma importante lição: quando você tem um problema delicado que pode magoar alguém, procure diretamente a pessoa envolvida e peça-lhe um conselho para resolver o problema. É essa pessoa que poderá ajudá-lo. À medida que você seguir a leitura, verá como esse princípio foi usado. Minha automotivação para aquela situação foi: *peça conselhos ao homem que pode ajudá-lo.*

Minha carta para o Sr. Mehrhoff trouxe a resposta que eu queria. Ele deu à minha agência, a Combined Registry Company, direitos exclusivos em todos os Estados Unidos para vender um tipo especial de apólice de acidente que eu mesmo havia criado. Chamei-a de "Pequena Gigante", para simbolizar uma grande proteção a um baixo custo, e desde então uso esse nome para qualquer apólice parecida. Continuei a fazer negócios com o Sr. Gilbert e, em alguns estados, eu administrava duas organizações comerciais.

Mais anúncios, mais vendedores, mais negócios. Eu tinha que me multiplicar novamente. Dessa vez, precisaria de um gerente de vendas em cada estado. Os profissionais para esse cargo foram selecionados entre a minha equipe de vendas, e suas comissões aumentaram, então meu percentual de lucros em cada venda unitária diminuiu – mas eu auferia uma renda líquida maior, por causa do volume de vendas. Por fim, minha organização vendia centenas de milhares de apólices por ano.

Os gerentes comerciais eram motivados a dar seu melhor. Quanto mais apólices seus vendedores vendiam, mais dinheiro os gerentes comerciais ganhavam. Suas comissões eram suficientemente altas para justificar o tempo, esforço e dinheiro que investiam em construir uma organização nos estados que supervisionavam. Dessa forma, eu conseguia economizar tempo, esforço e dinheiro.

Infalível

NUNCA É TARDE PARA APRENDER

Decidi investir meu tempo e esforços para terminar o ensino médio e me preparar para a faculdade. Precisava ter um diploma de conclusão do ensino médio para conseguir entrar na Faculdade de Direito de Harvard, e era isso que eu queria.

Não é necessário ter muita experiência nos negócios para perceber que é de bom senso sempre continuar adquirindo conhecimento – continuar especializando-se. Eu sabia que era possível fazer fortunas sem um diploma do ensino médio – muitos dos meus concidadãos conseguiram. Mas, ao estudar suas biografias, descobri que eles continuaram estudando após saírem da escola. Além disso: *a vida é mais do que só ganhar dinheiro.*

Já disse que abandonei o ensino médio em Detroit. Minha mãe estava viajando a negócios na época, e tive um desentendimento com um dos meus professores a respeito da sua capacidade de avaliar minhas ideias. Por algum motivo, ele passou a queixa ao diretor, que me chamou no seu escritório. Ele tentou provar que o tempo que passava conversando comigo custava dinheiro para a cidade de Detroit – centenas de dólares por minuto.

"Dinheiro?", pensei comigo. "Minha capacidade de gerar renda como vendedor é muito maior do que a do meu professor!" Então, em vez de me motivar a fazer o que ele queria – não voltar a discutir com os professores –, sua lógica causou uma reação contrária. Abandonei a escola. E, se sua lógica estivesse correta, Detroit economizou milhares de dólares, pois nunca mais voltei a conversar com um diretor.

Talvez naquele momento eu não aceitasse uma autoridade cheia de regras, assim como muitos garotos daquela idade não aceitam. Talvez houvesse outros motivos – e geralmente há. Mas logo fui estudar à noite, na Faculdade de Direito de Detroit, e trabalhava durante o dia, porque nunca, em nenhum momento, abandonei a ideia: *continue aprendendo*!

A economia do país crescia rapidamente, e, assim, minha organização comercial nacional também cresceu. Meu negócio se expandia rapidamente. Agora eu podia voltar a estudar – a princípio, um curso noturno, mais tarde, o curso diurno na YMC[5]. Após me formar na YMCA, entrei para a Universidade Northwestern, em Evanston, onde eu vivia.

Meu dia: um curso completo de dezoito horas com aulas pela manhã; natação, sauna, cochilo de meia hora e almoço no clube Hamilton logo após o meio-dia; algumas horas no escritório; e então eu ia para casa.

Tudo estava correndo bem. Que bela vida eu levava. Estávamos em plenos dias dourados.

Mas logo depois veio a crise e a Grande Depressão. As pessoas passavam fome, sofriam, não tinham empregos nem casas, o medo paralisava a nação; os ricos se tornaram pobres do dia para a noite.

Mesmo assim, esse desastre acabou fortalecendo as pessoas e a nação, pois as atitudes negativas foram substituídas por atitudes positivas: iluminação, coragem, valorização das oportunidades, vontade de trabalhar. E acima de tudo, as pessoas voltaram a procurar a igreja em busca de orientação.

Essas ideias ou conceitos irão se mostrar inspiradores quando você ler o próximo capítulo: "Nós domamos a tempestade".

---

5. Young Men's Christian Association (Associação Cristã de Moços).

PEQUENAS DOBRADIÇAS
QUE ABREM GRANDES PORTAS

Conhecimento é saber sobre algo. *Know-how* é saber como fazer algo. *Conhecimento* é informação. *Know-how* é técnica. Você precisa de ambos para o *Sistema de sucesso Infalível*.

O *conhecimento* é obtido em todo e qualquer lugar. Pode ser obtido nos livros, com pessoas, coisas, acontecimentos, com a história ou em observações casuais. Mas, para ser útil, deve ser organizado. Você precisa *conhecer* aquilo que *sabe*.

Duas automotivações me ajudaram a adquirir conhecimento: *peça conselhos a quem pode ajudá-lo* e *nunca é tarde para aprender – então nunca deixe de aprender*.

9
Nós domamos a tempestade

Havia uma calmaria antes da tempestade... uma tempestade causada pelas atitudes e atos negativos das pessoas; uma tempestade mais destrutiva e duradoura que qualquer outra catástrofe natural; uma tempestade corretamente chamada de *Grande Depressão*, símbolo não só da situação econômica, mas também da atitude das pessoas.

O primeiro golpe ocorreu em outubro de 1929. A Quinta-feira Negra, dia 24, foi seguida de uma calmaria incômoda, mas então caíram raios em todos os lugares. A Terça-feira Negra, dia 29, foi o dia do colapso da bolsa de valores. Depois disso, houve diversos mares turbulentos antes de o furacão financeiro chegar com toda a sua força – o feriado bancário nacional, em 6 de março de 1933. E então:

NÃO HÁ NADA A TEMER A NÃO SER O PRÓPRIO MEDO

Essa declaração do presidente dos Estados Unidos simbolizou a mudança de atitude dos oficiais do governo, editores de jornais, comentaristas de rádio, líderes religiosos, empresários e do próprio povo. Essa nova atitude mental, agora positiva, deu início a uma nova vida, com forças renovadas.

Infalível

Os princípios que essa experiência ensinou podem ser usados por mim e por você a fim de evitar entrar desnecessariamente em uma área tempestuosa e nos prepararmos para enfrentar adequadamente qualquer possível tempestade por meio da atitude mental correta.

PREPARE-SE PARA AS EMERGÊNCIAS DA VIDA

Para mim, a princípio, a Terça-feira Negra e a Quinta-feira Negra foram catástrofes distantes sobre as quais eu lia nos jornais. Eu financiei a abertura da minha empresa e a compra da minha casa com crédito bancário e não tinha nenhum dinheiro para investir em ações. Arriscava com minha própria capacidade de produzir resultados, mas não comprando ações em margem. Então, foi apenas em 1931 e 1932 que percebi o impacto da crise da bolsa em mim e nos meus negócios.

É verdade que os jornais estavam cheios de histórias trágicas todos os dias. Eu havia conhecido um jovem corretor de seguros extremamente talentoso e bem-sucedido em um dos meus clubes em 1928. Quando li a nota do jornal sobre seu suicídio, senti pena e compaixão por ele e por todos os outros como ele, cuja resposta à crise foi a autodestruição. Pena, porque ele não havia se preparado para enfrentar as emergências da vida com a atitude mental correta e compaixão por suas fragilidades psicológicas, pelo seu medo, pela sua desesperança e pela sua derrota.

Esse jovem corretor de seguros não havia se preparado na juventude com a força que vem de uma sólida filosofia moral e religiosa. A crença de que *Deus é sempre bom* não deve ter feito parte de seu credo. E ele devia desconhecer o poder da oração. Você pode julgar a fé de um indivíduo pelo que ele faz nos momentos de maior necessidade, quando deve escolher entre fugir, render-se ou lutar.

O PROPÓSITO DA VIDA É A PRÓPRIA VIDA

"Quando o homem entender que o propósito da vida não é o lucro material, mas sim a própria vida, ele deixará de dedicar sua atenção exclusivamente ao mundo exterior", disse Alexis Carrel,[6] o grande cientista francês que viveu durante aquela época difícil.

Acredito que deveríamos decidir cedo na vida o que faríamos se tivéssemos a impressão de que a vida não vale a pena ser vivida. Sei que eu decidi: se minha vida não tivesse mais valor para mim, ao menos teria valor para os outros.

Pois qualquer dor ou sofrimento mental ou físico, por mais intensos que sejam, podem ser em grande parte neutralizados pela satisfação e alegria de tentar ajudar outras pessoas. E essa é uma vida que vale a pena ser vivida.

Talvez você tenha aprendido isso quando leu *Before I Sleep: The Last Days of Dr. Tom Dooley*, escrito por James Monaham – seja na forma completa, seja no resumo da *The Reader's Digest*, ou ainda nos artigos divulgados nos jornais.

Tom Dooley, o jovem médico, sofria de dores torturantes por causa de uma doença fatídica. Ele sabia que seus dias estavam contados. Mas foi movido por uma obsessão grandiosa de pregar para centenas de milhares de doentes que viviam em cabanas de barro na Ásia e na África. Ele acreditava que o *propósito da vida é a própria vida* e tentava salvar outras vidas enquanto ele próprio estava lutando para viver e poder ajudar os outros.

Ele tentava aproveitar cada hora, pois estava correndo contra o tempo. Ao se empenhar com um esforço quase sobre-humano, conseguiu multiplicar os benefícios do seu trabalho por meio de escritos,

---

6. Reflections on Life, Hawthorn Books, Inc., 1953.

palestras e aparições na televisão para angariar fundos para a Medico – a organização que havia estabelecido para prestar assistência médica a pessoas desfavorecidas em todo o mundo. Até hoje a organização recebe grandes doações para continuar o trabalho de Tom Dooley.

Tom Dooley, diferentemente do corretor de seguros, havia se preparado ainda muito jovem com uma boa filosofia moral e religiosa. Foi o que sua vida provou. Ele acreditava que *Deus é sempre bom*. E não ignorava o poder da oração, pois foi esse poder que lhe deu as forças de que precisava para seguir em frente.

O jovem corretor desistiu por desespero. Ele poderia ter começado uma nova vida, dedicada a servir outras pessoas, e, assim, teria se tornado um herói.

Como este é um livro de desenvolvimento pessoal, sugiro que você reflita sobre sua própria filosofia moral e religiosa. Decida o que você faria se, em algum momento, a vida lhe parecesse sem valor.

Um livro de desenvolvimento pessoal pode, literalmente, salvar a sua vida. Uma mãe me escreveu recentemente:

> Sou uma dona de casa com três filhos incríveis e um bom marido, mas, por causa de uma AMN (atitude mental negativa), convenci-me de que o mundo seria um lugar melhor sem mim, principalmente para meu marido e meus filhos. Convenci-me de que não poderia controlar minhas emoções e meus pensamentos.
>
> Estava pensando em suicídio. Orei pedindo ajuda, mas ela não parecia vir, até que, certa tarde, encontrei o livro *Atitude Mental Positiva*.
>
> Estudei-o em todos os momentos que pude desde então. Passei a adotar uma AMP (*Atitude Mental Positiva*) como estilo de vida, e as mudanças em mim mesma, na minha casa e nas relações com a minha família foram um milagre. Já li outros livros motivacionais, mas foi o seu, e nenhum outro, que me contou *como* eu poderia me ajudar, e era disso que eu precisava, mais do que qualquer outra coisa no mundo.

Agradeço ao Sr. Hill e a você, Sr. Stone, por escreverem esse livro. Agradeço a Deus por colocá-lo em minhas mãos a tempo de, literalmente, salvar minha vida.

Atitude Mental Positiva me motivou a mudar e melhorar profundamente, de forma que tenho certeza de que nunca mais voltarei àquela condição anterior. Frequentar a igreja com regularidade também me ajudou, e isso foi um resultado direto da leitura do seu livro.

PREPARE-SE PARA A BATALHA

Um livro como *You and Psychiatry* pode ajudá-lo a tomar a decisão certa. Nele o Dr. William C. Menninger diz:

> Muitos de nós testemunhamos diferentes reações das pessoas a ataques externos. Algumas conseguem enfrentar a perda total de suas casas e fortunas; adaptam-se à morte de seus entes queridos e lidam com os obstáculos. Outras simplesmente não conseguem. Nem todas as pessoas conseguem continuar se adaptando após uma colisão frontal em alta velocidade com alguma situação tão dura quanto um gigantesco caminhão.
>
> Nossos fracassos são expressos por meio de um dos seguintes tipos de reação: Fuga ou Luta. Se nos deparamos com uma situação que vai além do que conseguimos suportar, aceitar ou lidar (e que não nos derrube da forma como aquele gigantesco caminhão faria), nós desviamos dela ou fugimos, ou então damos um jeito de derrotá-la.

APRENDA COM A EXPERIÊNCIA DOS OUTROS

No próximo capítulo, você lerá histórias sobre dificuldades que criaram homens fortes – *homens que deram um jeito de derrotar as adversidades*. Mas agora deixe-me contar um exemplo de como aprendi com a experiência dos outros a me preparar para o futuro – pois, como você deve agora perceber: uma pessoa que chega ao sucesso na vida desenvolve o hábito de associar, assimilar e usar os princípios que aprende com a experiência – sua própria e dos outros.

Como mencionei anteriormente, a princípio não senti o impacto da quebra da bolsa e da convulsão econômica que se seguiu. Mas vi sinais de perigo que me motivaram a agir.

Na rua LaSalle, em 1930, eu costumava encontrar um amigo – alguém que eu admirava muito pelo seu sucesso empresarial no final da década de 1920. Após uma conversa amigável e logo antes de apertarmos as mãos em despedida, ele perguntou: "A propósito, Clem, você poderia me emprestar dez dólares até terça-feira?". Emprestei-lhe os dez dólares, mas a terça-feira a que ele se referiu nunca chegou.

Essas experiências me fizeram pensar. Embora eu tivesse um sistema de vendas infalível e confiasse completamente na minha habilidade de enfrentar qualquer situação que pudesse surgir, pensei: "Até mesmo as mentes mais brilhantes da nação perderam fortunas quando o mercado quebrou. Quem sou eu para não reconhecer esse fato? Chegou a hora de acumular uma reserva financeira para uma eventual emergência ou me preparar para aproveitar uma excelente oportunidade, caso surja alguma".

Eu não era aquilo que chamariam de "poupador". Comprava tudo que queria e depois trabalhava para pagar as contas. Meus rendimentos aumentavam quando as vendas aumentavam, e as minhas vendas pessoais aumentavam quando eu adquiria mais conhecimento e mais habilidade.

Ao entrar no edifício Roanoke, onde ficava meu escritório, havia uma placa na janela do banco do primeiro andar que sempre me chamava a atenção e parecia provar essa filosofia. Ela dizia:

*Um jovem pode conquistar fortunas se assim se obrigar,
pois, se for honesto, pagará suas dívidas.*

Eu havia me obrigado a comprar uma casa, dois carros e tudo que me parecia necessário – e que outros poderiam chamar de luxos – em prestações. Além disso, eu sempre tentava fazer meu negócio crescer, e todas as seguradoras que eu representava haviam me dado uma linha de crédito considerável.

Então me obriguei a poupar, adquirindo um fundo de investimento com vencimento em vinte anos – era uma espécie de seguro de vida de alto rendimento. Adquiri um de bom valor – bom o suficiente para, nove anos depois, fazer um resgate de US$ 20 mil, quando surgiu uma emergência e uma oportunidade. E fiz isso mesmo tendo contas a pagar, pois sabia que iria pagá-las integralmente. Desde cedo eu já havia desenvolvido a seguinte automotivação: *um acordo é um acordo – promessa feita é promessa cumprida.*

Para mim, isso significava que, não importa o que aconteça ou os sacrifícios que forem necessários, é preciso honrar os acordos ou promessas, sejam verbais, sejam escritos. Ao final de 1931, comecei a sentir os efeitos da Depressão. Então percebi que estava diante de um sério problema – *dinheiro*.

EU ATAQUEI O MEU PROBLEMA

Eu ainda estudava e administrava minha empresa. Meus credores estavam me perseguindo; parecia que todos queriam meu dinheiro ao mesmo tempo. Eu sabia que todos seriam pagos integralmente, e acreditava que eles sabiam também. Mas todos estavam às voltas com seus próprios problemas financeiros naquela época.

Infalível

Meus problemas financeiros decorreram do fato de que, embora eu tivesse mais de mil agentes licenciados, eles não estavam gerando um volume de negócios satisfatório, e minha renda foi afetada negativamente. Eu tinha mais de US$ 28 mil em dívidas. Então parei de pensar no assunto e percebi que não importava quantos agentes eu tinha, mas sim quanto eles vendiam – quanto eu conseguia ganhar.

"Uma formação universitária é algo maravilhoso", pensei, "mas é mais importante garantir o sustento meu e da minha família – e pagar minhas dívidas." Então abandonei a escola novamente.

Imediatamente ataquei meu problema. Primeiro, verifiquei meus bens. Àquela altura, eu havia feito acordos para que minha agência representasse três outras seguradoras, além das duas que eu já tinha. Assim, consegui designar mais vendedores em uma área em que seria bom ter mais de uma organização comercial.

Felizmente, eu tinha um grande negócio de renovações estabelecido. Estávamos perdendo alguns segurados, mas não sabia quantos. Não me dei conta da gravidade da situação até começar a ter problemas financeiros pessoais.

Porém, eu sabia que havia infinitas oportunidades, *pois a venda depende da atitude do vendedor – não da atitude do cliente potencial*. Um vendedor inspirado com *know-how* e *conhecimento* adequados pode influenciar seus potenciais clientes a comprarem. Foi o que a experiência me ensinou.

Tive a prova disso durante as férias escolares, quando eu saía para vender pessoalmente. Certo verão, por exemplo, passei dez semanas vendendo no estado de Nova York. Eu tinha que provar de uma vez por todas que *a venda dependia da atitude mental do vendedor*, pois havia feito um acordo com a Commercial Casualty Company para emitir uma nova apólice que tinha um prêmio cujo custo líquido era ligeiramente mais alto. Meus gerentes comerciais falaram que não seria possível vendê-la, e nossos vendedores não a venderam, pois também haviam lido sobre a Depressão e acreditavam que aquilo que viam e ouviam se aplicava a eles. Como milhões de outras pessoas na época, eles tinham uma atitude mental negativa sobre si mesmos.

Naquele verão, em Buffalo, Niagara Falls, Rochester e outras cidades na região oeste de Nova York, vendi mais do que nunca. Usei meu sistema de vendas infalível, independentemente de região, expansão ou depressão. Ele funciona tanto sob condições econômicas adversas quanto sob condições favoráveis. Eu sabia lá atrás, assim como sei hoje.

Então, quando voltei para Chicago, escrevi para todos os meus representantes comerciais e os encorajei a vender a nova apólice. Como eles confiavam em mim, ficaram motivados a tentar. Como tentaram, descobriram que a nova apólice era tão fácil de vender quanto as anteriores. Eu os havia inspirado.

O QUE EU NÃO SABIA

Embora eu tivesse meu sistema de vendas infalível, meus vendedores não estavam aplicando-o integralmente. Eles não haviam aprendido; ninguém os havia ensinado. Então comecei a perceber que, como gerente comercial, faltavam-me dois dos ingredientes do *Sistema de sucesso Infalível* no que se referia a treinar, supervisionar e reter representantes comerciais: o *know-how* e o *conhecimento prático*.

Quando olho para trás, surpreende-me o pouco que eu sabia sobre comunicação adequada, treinamento comercial e gestão de negócios. Talvez porque, nos dias do *boom* econômico, qualquer um podia vender qualquer coisa. Tudo que um vendedor precisava fazer era encontrar pessoas e dizer-lhes o que tinha a oferecer.

Se eu soubesse naquela época o que sei hoje, os recordes de produção de vendas teriam indicado exatamente como o negócio se encontrava em determinado momento – para onde minha organização comercial estava caminhando. Os vendedores e gerentes comerciais teriam sido adequadamente treinados. Eu teria tido um *Sistema de sucesso Infalível* para a gestão comercial. Mas não tive. Isso porque nos tempos de grande crescimento econômico:

- Eu nem me preocupava em ver meus vendedores e gerentes comerciais. Nem pensava nisso.
- Os representantes recebiam apenas instruções impressas na forma de um folheto de quatro páginas, que trazia basicamente um discurso de vendas organizado, algumas sugestões para as vendas e algumas palavras de motivação. Eles eram encorajados a decorar o discurso de vendas, palavra a palavra.
- Não eram realizadas reuniões ou convenções de vendas. Isso nunca nem me passou pela cabeça.
- Não eram dadas instruções específicas sobre gestão aos gerentes comerciais. Eles sabiam vender novas apólices, porque cada um deles havia sido promovido enquanto trabalhava como vendedor.
- Os únicos registros que eu mantinha eram os nomes dos segurados, um sistema contábil simplificado e uma lista dos nomes e endereços dos agentes – nenhum tipo de registro de produção de vendas.

Como muitos homens que começaram suas empresas sozinhos, aprendi por meio da experiência. Mas, se eu soubesse naquela época o que sei hoje, teria aplicado técnicas modernas de treinamento comercial, comunicação e gestão de negócios. Esse conhecimento pode ser adquirido na escola ou nos livros.

A NECESSIDADE ME FEZ AGIR

Quando abandonei a escola, parti logo para a ação – primeiro mental, depois física.

Todas as conquistas pessoais começam dentro da mente do indivíduo.

Eu sabia quais eram os meus problemas. E *conhecer seu problema é o primeiro passo para encontrar a solução*. Para resolver meus problemas, tudo que eu precisava fazer era:
1. Ganhar o máximo possível por meio das minhas vendas pessoais.
2. Continuar contratando mais vendedores.
3. *Treinar* novos vendedores e aqueles que já trabalhavam para mim, para que se saíssem tão bem quanto eu ou melhor ainda.
4. Desenvolver um sistema de registro de produção de vendas por meio do qual eu soubesse exatamente como os negócios estavam naquele dia, em cada cidade do país.

Porém, antes de descrever a atitude que tomei, deixe-me contar um pouco sobre a necessidade que me motivou. Minhas dívidas estavam sendo pagas a um ritmo muito lento, e meus credores estavam me perseguindo. Mas havia uma obrigação que eu sempre pagava em dia: a folha de pagamentos, todos os sábados.

Você já penhorou um relógio? Eu já, duas vezes – para conseguir dinheiro extra para pagar os salários integralmente. Mas e o aluguel do escritório?

Quando as luzes do meu escritório se apagavam, eu já sabia o motivo. Eu ligava para o síndico do prédio, que me perguntava: "Quando você vai pagar o último aluguel?". Cinco minutos depois de responder, as luzes se acendiam novamente. Isso aconteceu comigo diversas vezes.

Infalível

Lembre-se, eu estava aplicando todos os dólares que podia no pagamento das minhas dívidas. É difícil pagar despesas atuais enquanto estamos pagando antigas obrigações e, ao mesmo tempo, economizar uns trocados para o futuro (mas faz bem!).

Então a necessidade me levou a fazer valer cada hora que eu passava vendendo – e foi o que fiz. As horas que antes eu passava em sala de aula agora eram dedicadas às vendas. Mais tarde vou lhe contar algumas das minhas experiências, pois elas provarão o poder da inspiração para agir. E seus princípios podem ser aplicados por qualquer pessoa.

Contratar mais vendedores não era um problema, pois havia muito eu já fazia isso, usando o mesmo anúncio de quatro linhas que dava bons resultados.

TENTATIVA E SUCESSO

Mais uma vez, descobri um sistema infalível para contratar vendedores por correio. Por *tentativa e sucesso*, eu havia desenvolvido uma carta-formulário e duas circulares anexas que obtiveram resultados tão fantásticos que nunca mais foram alteradas, a não ser por um ou dois detalhes de menor importância.

A carta e as circulares faziam as promessas do nosso anúncio parecerem possíveis, desejáveis e viáveis – os três ingredientes necessários à motivação. Eles encorajavam o leitor a agir.

Elas continham palavras de motivação muito poderosas, como:

O sucesso é alcançado por quem tenta.
Se não há nada a perder e muito a ganhar tentando,
então tente de todas as formas!
Faça agora!

A carta apontava vantagens e desvantagens. Por exemplo, indicava que o candidato precisava fazer um depósito antecipado para pagar a taxa de licença estadual e os materiais que seriam encaminhados para ele. Conto esses detalhes porque:

- Você pode ter se perguntado como construí uma organização nacional sem dedicar muito tempo ou esforço. Foi porque eu usava o método da carta-formulário.
- Agora você pode ver como consegui construir essa organização com relativamente pouco capital de giro. Como eu solicitava que o representante fizesse um depósito para pagar pelos materiais e pela taxa de licença, eu conseguia usar seus depósitos como capital de giro. Eu garantia o reembolso se solicitado.
- Além disso, você verá como essa carta e o material publicitário foram úteis na contratação por entrevista pessoal, pois economizaram meu tempo de entrevista, dando-me a história completa.

CARÁTER – ATITUDE – VONTADE DE APRENDER

Muitas vezes, durante os anos da Depressão, cheguei a receber ligações de duzentos candidatos no meu escritório em uma manhã de segunda-feira pedindo uma entrevista, em resposta ao anúncio no jornal dominical *Tribune*, de Chicago. Formava-se uma fila na porta do meu escritório no edifício Roanoke, que se estendia por todo o corredor do sétimo andar.

Os especialistas podem rir, mas eu sabia – e ainda sei – que tinha a capacidade de avaliar uma pessoa de forma bastante precisa em poucos minutos, pois minha experiência em vendas me tornou sensível às reações das outras pessoas e me permitiu interpretá-las corretamente.

Desenvolvi uma técnica que me permitiu agir rapidamente – escolher quem eu queria contratar, e dispensar, sem humilhá-los, aqueles que eu achava que não se qualificavam. O que fiz foi o seguinte:

Infalível

1. Todos recebiam o mesmo material que era enviado aos candidatos por correio. Eu nem me dava ao trabalho de anotar os nomes e endereços dos candidatos na primeira entrevista.
2. "Ele é um homem de caráter? Sua atitude é positiva ou negativa? Ele tem vontade de aprender?" Eram essas as perguntas que eu me fazia.
3. Se eu achasse que um candidato não se qualificava, ainda assim tentava ser gentil e cuidadoso com seus sentimentos. Eu dizia: "Para ser honesto, pretendo entrevistar todo mundo. Aqui está o material que explica todo o plano. Se estiver interessado, volte para uma segunda entrevista". Eu sabia que poucos voltavam, porque era necessário fazer o depósito, mas o candidato era poupado do constrangimento.
4. Os homens que eu queria, eu consegui. Meu procedimento era exatamente o mesmo com os candidatos que eu queria eliminar, com uma exceção. Eu dizia: "Leia o material – e lembre-se que vou lhe demonstrar como é fácil ganhar muito dinheiro. Se o plano lhe interessar, vou providenciar sua licença imediatamente. Farei todas as vendas por um dia inteiro, e as comissões serão suas". Então eu esperava alguns minutos para lhe contar sobre as gordas comissões nas vendas que eu havia feito por um vendedor na semana anterior.

Quando um candidato estava quebrado e um gerente comercial se oferecia para fazer o trabalho e lhe entregar toda a comissão, ele se dispunha a ver como funcionava. Então, quando recebia US$ 30 ou US$ 50 em dinheiro ao final do primeiro dia, a oportunidade parecia imperdível (naqueles dias, um dólar era muito dinheiro!).

ATITUDES CRIARAM OS DECADENTES

Eu sentia pena e compaixão pelos *decadentes*. Eram homens que ganhavam entre US$ 15 mil e US$ 30 mil por ano na época do *boom* econômico, mas tornaram-se decadentes, fosse porque não estavam dispostos a começar de baixo e subir novamente até o topo, fosse por causa de suas atitudes, tão negativas que qualquer trabalho que começassem acabaria fracassando. O futuro deles havia ficado para trás – a não ser que seus patrões conhecessem a arte da *inspiração para agir*.

Conto essas experiências porque fiz uma descoberta incrível. Percebi que poderia treinar os vendedores que eu contratava simplesmente saindo com eles para vender e demonstrando-lhes meu sistema de vendas. Ao fazer isso, comecei a adquirir conhecimento para desenvolver o *know-how* e aperfeiçoar um *Sistema de sucesso Infalível* para o treinamento de vendedores – algo de que eu nunca havia me dado conta. As histórias que você lerá no próximo capítulo mostrarão como esse sistema foi aperfeiçoado definitivamente.

Ao perceber que meus representantes comerciais precisavam de treinamento, comecei a enviar-lhes uma página com um boletim diário de vendas. Cada boletim continha um contra-argumento ou sugestão que, pessoalmente, eu achava muito eficazes para vender. Veja, eu também estava vendendo – e muito. Nos boletins, eu contava aos vendedores o que dizer e como dizer. Assim, esses vendedores seriam instruídos, por exemplo, a como vender para um cliente potencial que dissesse "Não tenho dinheiro", mesmo se o cliente precisasse pedir dinheiro emprestado ao seu chefe ou ao vizinho para pagar o prêmio do seguro.

Além disso, cada edição continha uma ideia ou palavras de motivação para inspirar os vendedores a agirem, tais como: *Cada desvantagem traz consigo uma vantagem maior*. Escrever esses materiais me ajudou a materializar meus pensamentos no papel. Foi um passo rumo à descoberta do meu *Sistema de sucesso Infalível* para treinar pessoas.

Meus problemas eram pequenos se comparados aos de outras pessoas que, durante a Depressão, mantiveram uma atitude mental negativa. Mas eu tinha problemas – as ligações, cartas e encontros com meus credores se tornaram muito irritantes. Então, certo dia, informei-lhes que seriam pagos integralmente, além de uma taxa de juros de seis por cento a partir da data de vencimento. Eles receberiam os pagamentos à medida e na proporção que eu obtivesse minhas receitas. Embora aquilo fosse simplesmente uma declaração da minha decisão definitiva, e não um pedido de autorização, ninguém reclamou. E, no tempo devido, todos foram pagos.

No próximo capítulo, você lerá uma história que conta como as dificuldades tornam os homens mais fortes, como você pode construir enquanto tudo ao seu redor parece ruir e como transformar desvantagens em vantagens.

PEQUENAS DOBRADIÇAS QUE ABREM GRANDES PORTAS

Todas as conquistas pessoais começam na mente das pessoas. A *sua* realização pessoal começa na *sua* mente. O primeiro passo é saber exatamente qual é o seu problema, objetivo ou desejo. Se você não tiver clareza sobre isso, então escreva e reescreva até que as palavras expressem exatamente o que você está buscando.

Todas as desvantagens trazem uma vantagem equivalente – se você se der ao trabalho de descobrir qual é. Aprenda como fazer isso e você vai *derrotar as adversidades* todas as vezes.

10
É fácil se você souber como

A Depressão foi uma bênção disfarçada para quem desenvolveu uma atitude mental correta, pois a necessidade pode tanto construir quanto destruir um homem.

A necessidade construiu Leo Fox. Lembro-me bem de quando o conheci. Ele me causou uma impressão inesquecível. Leo havia respondido ao meu anúncio. Levava no rosto um sorriso imbatível, que se mantém até hoje. Ele era tão animado que o contratei na hora.

Leo tinha um emprego, mas não conseguia ganhar dinheiro. Embora seus problemas fossem sérios, ele transmitia saúde, felicidade, entusiasmo e uma imagem de sucesso. Entretanto, quando começou a trabalhar para mim, ele estava tão quebrado que morava com sua esposa e seus filhos em um hotel barato na região norte de Chicago. Eles não tinham dinheiro para comprar móveis ou pagar a caução do aluguel de um apartamento mobiliado. Na verdade, até o aluguel do hotel estava atrasado.

A Sra. Fox não se atrevia a sair do quarto do hotel com as crianças quando Leo não estava pois, quando a família saía do quarto, o gerente trancava-os até que conseguissem pagar alguns dólares para acertar o aluguel atrasado. E, apesar de tudo, Leo conseguia sorrir efusivamente quando o entrevistei naquela manhã. Eu ainda frequentava a Universidade de Northwestern e ainda não havia começado a trabalhar pessoalmente com os vendedores no primeiro dia de trabalho. Mas Leo seria treinado por mim mais tarde.

Após alguns meses, Leo Fox me contou que seus ganhos no primeiro dia foram suficientes para acertar a conta do hotel, e que ele tinha que acordar cedo na manhã seguinte para obter as comissões que garantiriam o desjejum da família.

Leo tinha vontade de trabalhar, e demorou pouco tempo para que todas suas contas mais urgentes fossem pagas. Após quatro meses, ele conseguiu dar entrada em um carro. Em dois anos, seu sucesso lhe garantiu a oportunidade de se tornar nosso gerente comercial na Pennsylvania.

O ENTUSIASMO ATRAI

Leo estava trabalhando para mim havia poucas semanas quando algo surpreendente aconteceu. Um vendedor de sua antiga empresa veio me procurar. Ele comentou que havia encontrado Leo na rua, parecendo tão feliz e bem de vida que o homem ficou pensando se eu não teria outra vaga em aberto. É claro que eu tinha.

Dentro de um período de dois meses, contratei cinco outros vendedores da antiga empresa de Leo. Eles também o haviam encontrado na rua e perguntado onde ele estava trabalhando, e eles também se candidataram.

Leo Fox é alguém por quem tenho muita estima. Ele tinha um problema pessoal que já destruiu muitos homens: era alcoólatra. É por isso que, como me contou, foi "colocado para fora de casa" por seu pai, John Fox, dono e presidente da First National Casualty Company em Fond du Lac, Wisconsin. Um ano depois, ele entrou para minha empresa, contou-me seu problema e disse: "Estou frequentando o Instituto Keeley, em Dwight, Illinois. E vou vencer essa batalha". Ele de fato foi para Dwight – e, de fato, venceu a batalha.

Se, em algum evento social ou em uma convenção, alguém pergunta "Vamos tomar alguma coisa?", Leo se anima. "Claro, eu adoraria", responde. E, quando os pedidos são feitos, ele não dá desculpas. Diz, orgulhosamente: "Eu gostaria de uma xícara de café bem quente". Ele nunca mais bebeu nenhuma bebida alcoólica desde o dia em que pôs os pés no Instituto.

Leo Fox e sua família viajaram para Fond du Lac para visitar seu pai e sua mãe antes de partirem para a Pennsylvania, onde Leo se tornaria meu gerente comercial. Quando seu pai viu o que Leo havia feito para mudar de vida e melhorar, disse: "Se você é bom para ser o gerente comercial do Sr. Stone na Pennsylvania, então você também é bom o suficiente para ser o presidente da First National".

Leo aceitou o emprego oferecido pelo pai e de fato veio a se tornar presidente. Tempos depois, foi por meio de Leo Fox que tive a oportunidade de comprar a First National Casualty Company. Hoje Leo é um homem rico e bem-sucedido no trabalho que escolheu. Sua história tem sido uma inspiração a muitas pessoas que me ouviram contá-la.

EU TINHA UM PROBLEMA

Mas agora vou lhe contar como progredi na criação do meu sistema infalível de treinamento de vendedores. Além disso, revelarei como eram usadas as palavras de motivação *Transforme todas as desvantagens em uma vantagem ainda maior*.

Quando saí da universidade, comecei a passar boa parte do meu tempo vendendo e treinando vendedores *no campo*. O termo "*no campo*" significava, efetivamente, ligar para clientes ou potenciais clientes. É "fazer", em oposição à simples teoria. Quando vendia com um vendedor, ele podia ver que, se vendesse exatamente como eu fazia, também obteria uma boa renda. Mas logo descobri que isso não era suficientemente bom.

O vendedor em treinamento sempre se deixava levar pela emoção do jogo e não observava os princípios específicos que deveria aplicar. É como ler as histórias em um livro de desenvolvimento pessoal: algumas pessoas se interessam tanto pela narrativa que deixam passar os princípios a serem aplicados. Então concluí: o que inspira os vendedores a agir é a necessidade do momento. Mas eles não aprendem se não forem ensinados, e ninguém me ensinou a adquirir conhecimento por meio da observação. Ao perceber isso, comecei a desenvolver um método de treinamento eficaz.

Primeiro, os vendedores eram motivados a estudar o discurso de vendas e os contra-argumentos, palavra a palavra. Eu lhes contava sobre a grande renda diária que poderiam conseguir se soubessem o que dizer e como dizer; por que eles seriam felizes no trabalho se conhecessem a teoria; e como podiam poupar tempo usando uma apresentação comercial organizada. Então, quando os vendedores aprendiam o que precisavam saber, eu os levava a campo comigo por um dia todo. Assim, eles podiam entender de forma mais clara o que era dito e feito.

UM MAPA PARA O SUCESSO

Quando um vendedor trabalhava para mim, eu adquiria conhecimento e *know-how* em treinamento. E não levou muito tempo para que eu desenvolvesse um plano eficaz para treinar representantes novos ou experientes. Funcionava da seguinte forma:

1. Eu ficava focado, movimentava-me rapidamente e trabalhava o dia todo. Meu objetivo era fazer daquele o melhor dia da mi-

nha vida. O vendedor em treinamento não podia me atrapalhar com conversas ou atrapalhar a venda. Ele deveria ficar próximo, demonstrar interesse no que eu estava fazendo e andar tão rápido quanto eu.

2. Fazíamos a primeira ligação às nove da manhã, e eu continuava vendendo até as onze e meia.
3. O representante vendia por meia hora.
4. Em todos os contatos que ele fazia, eu anotava possíveis erros específicos.
5. Ao meio-dia, pedia que o vendedor tomasse notas enquanto eu falava sobre o trabalho da manhã. Primeiro, eu falava sobre os pontos positivos da sua atuação. E então eu lhe dava algumas sugestões específicas que poderiam ajudá-lo. Os pontos que poderiam definir a venda eram enfatizados, e os pontos menos relevantes eram apenas mencionados.
6. Após o almoço, eu retomava as vendas e continuava até as quatro e meia.
7. O vendedor então começava a vender até a hora de ir embora.
8. Novamente, eu fazia anotações durante cada apresentação comercial que ele fazia.
9. Então, repetíamos o processo mencionado no item 5.
10. À noite, após o jantar, o vendedor fazia um discurso de vendas em uma reunião comercial, se estivéssemos vendendo em grupo na mesma área da região metropolitana de Chicago (se estivéssemos vendendo em Chicago, não havia reunião comercial).
11. Todos os presentes na reunião eram instruídos a procurar os pontos positivos e tudo que pudesse definir uma venda. Se um vendedor não conseguisse identificar as imperfeições na apresentação, provavelmente ele cometeria os mesmos erros do vendedor que fizera a apresentação.

Infalível

12. Após a fala do representante, o procedimento era o seguinte:
- Ele tinha a oportunidade de comentar sobre como poderia ter feito um discurso melhor.
- Todos então eram convidados a fazer seus comentários, mas o vendedor em treinamento só anotava as sugestões que eu lhe dizia para anotar.
- Por fim, eu revisava os princípios que eram listados e apontava outros princípios que não tivessem sido mencionados.
- Como a inspiração para agir é o ingrediente mais importante para o sucesso, eu tentava inspirar cada um dos representantes – principalmente o vendedor em treinamento com quem eu havia trabalhado naquele dia.

Após trabalhar um dia todo com um vendedor e seguir o procedimento acima, os passos seguintes eram estes:
- Ele trabalharia sozinho durante todo o dia seguinte.
- Ele faria uma apresentação comercial à noite, na reunião comercial, caso fosse realizada.
- Repetiríamos o procedimento da noite anterior, como apontado no item 12. Assim era possível verificar o que ele havia aprendido na noite anterior. Isso indicava quais hábitos, ou *know-how*, o vendedor estava adquirindo.
- Na manhã seguinte, eu saía com o vendedor. Ele vendia por meia hora. Se necessário, eu fazia uma ou duas ligações para lhe mostrar como lidar com uma situação específica e depois pedia que ele tentasse fazer mais algumas vendas. Enquanto ele vendia, eu tomava notas novamente.
- Eu dava algumas sugestões e o deixava sozinho até a hora da reunião que faríamos à noite.

- Se o representante não estivesse seguindo as sugestões dadas anteriormente e precisasse estudar a teoria, ele era incentivado a passar o dia todo estudando. Isso acontecia muito raramente, pois, durante a Depressão, os homens eram motivados a tentar aprender qualquer coisa que lhes ajudasse a ganhar dinheiro.
- Quando eu voltava ao meu escritório, ditava uma carta para cada um dos vendedores com quem havia trabalhado. Nessa carta, eu tentava:
  » apontar algo positivo sobre seu progresso;
  » inspirá-lo com outros comentários;
  » listar toda e qualquer sugestão importante que ele havia sido instruído a anotar para si.

Esse programa se tornou um verdadeiro mapa do sucesso para treinar meus representantes comerciais. Os princípios, por serem aplicáveis, podem ser associados, assimilados e usados por qualquer um para desenvolver um sistema de treinamento eficaz.

Repito novamente: naquela época, eu precisava muito do dinheiro, pois estava desesperadamente tentando me livrar das dívidas. O programa não exigia muito tempo para treinar cada representante, mas era bastante completo. E esses homens eram motivados, pela necessidade de dinheiro, a dar o seu melhor; eles não precisavam se apoiar em mim o tempo todo. Quando adquiriam o conhecimento e o *know-how*, conseguiam andar com as próprias pernas. Não demorou muito para que eu tivesse uma quantidade suficiente de vendedores bem treinados para o estado de Illinois. Alguns deles foram estimulados a ir para outros estados.

Enfrentei outro problema sério – que era ainda mais importante do que ganhar dinheiro. Tratava-se da saúde do meu filho.

Infalível

PARA TER SUCESSO, ESCOLHA O SEU AMBIENTE

Nosso filho, Clem Jr., nasceu em 12 de junho de 1929. Durante os primeiros dois anos e meio de vida, ele parecia sempre estar sofrendo com gripes, febres altas e asma. Nos meses de inverno, ficava doente constantemente. Os médicos não pareciam poder fazer muita coisa por ele.

Bem, um dos princípios básicos de desenvolvimento pessoal, que se tornou parte da minha filosofia quando comecei a investigar o funcionamento da mente humana ainda na escola de ensino médio Senn, é o seguinte:

Como o homem é um produto do ambiente, ele deve escolher intencionalmente um ambiente em que possa progredir rumo aos seus objetivos.

E foi isso que tentei fazer.

Quase tudo pode ser encontrado nos livros. Quando eu ainda frequentava a Universidade Northwestern, li que algumas regiões dos Estados Unidos ficavam fora da área de polinização da tasneira – estados como Oregon, Washington, Colorado e o norte de Michigan. Então comprei um título no clube North Woods, em Ishpeming, Michigan.

O clube tinha aproximadamente dezoito hectares de terra – lagos privados e instalações de lazer. Eu pretendia ir lá apenas quando Clem tivesse idade suficiente para se divertir. Era um plano para o futuro.

Clem Jr. sempre parecia saudável no verão, exceto quando a concentração de pólen de tasneira ficava alta, em setembro. Foi então que, em outubro de 1931, recebi outra carta de casa, dizendo que Clem estava doente. Nunca vou me esquecer. Eu estava em Pontiac, Illinois, em uma viagem de vendas. Foi ali que decidi agir – escolher um ambiente que fortalecesse sua saúde imediatamente. Eu disse a mim mesmo:

"Se Clem se sente melhor no verão, por que não levá-lo para um clima quente? Por que não mantê-lo longe da zona de polinização da tasneira quando a concentração de pólen estiver alta? Por que não seguir o sol? Então, quando ele estiver bem, podemos voltar para casa".

Então, no início de novembro de 1931, eu, a Sra. Stone e Clem saímos viajando de carro de estado em estado. Seguimos o sol por um ano e meio – para o sul no inverno, para o norte no verão. Clem ganhou peso e cresceu forte e saudável.

Ficamos nos melhores *resorts*. E, como eu precisava de dinheiro, convenci os gerentes daqueles hotéis a me oferecerem suas melhores tarifas.

TRANSFORME UMA DESVANTAGEM EM UMA VANTAGEM

Obtive uma licença em cada estado, para que eu pudesse vender pessoalmente aonde quer que fosse. Pensei que poderia delegar os trabalhos de renovação para algum dos meus vendedores ou para outros que eu nomearia. Treinei pessoalmente todos os vendedores que ficaram na minha empresa. Meu programa de treinamento era exatamente igual ao explicado em "Um mapa para o sucesso".

Naquela época, os moinhos da região da Nova Inglaterra estavam fechados, assim como as minas da Pennsylvania, do Arizona e de todos os lugares. O preço do algodão e do amendoim na Virgínia e nos outros estados do sul estava tão baixo que as colheitas foram depositadas no solo, para enriquecer a terra – não valia a pena levá-las ao mercado. O barril de petróleo no Texas estava sendo vendido a US$ 0,60. No entanto, os vendedores que treinei conseguiam faturar de US$ 20 a US$ 50 por dia.

A necessidade me trouxe a *inspiração para agir*. A experiência me trouxe o *know-how*. E, assim, transmiti aos vendedores o *conhecimen-*

to necessário. Esses são os três ingredientes de qualquer *Sistema de sucesso Infalível*.

Durante o tempo de nossa viagem, minha equipe de vendas foi reduzida a 135 vendedores bem treinados, pois perdi muitos antes de ter a oportunidade de treiná-los pessoalmente. Mas esses 135 vendedores produziam um volume de negócios nos anos da Depressão maior do que os mil representantes não treinados que trabalhavam para mim durante os anos do grande crescimento econômico.

Portanto, ao procurar e encontrar a saúde do meu filho, simplesmente selecionando um ambiente favorável para sua saúde, muitas desvantagens se transformaram em vantagens: construí uma base sólida para a expansão contínua do meu negócio e obtive o conhecimento e o *know-how* que me faltavam para treinar vendedores de maneira eficaz. E fiz uma descoberta incrível.

A DESCOBERTA INCRÍVEL

Quando, ao final, revisei as cartas que havia enviado a cada representante, traçando os princípios que ele precisaria para obter sucesso, fiquei impressionado, pois descobri que a quantidade de correções necessárias era relativamente pequena. O que se aplicava a um se aplicava a muitos.

Com base nessa descoberta, escrevi uma série de manuais de treinamento pelos quais os representantes poderiam aprender os princípios que tínhamos que lhes ensinar. Assim, com treinamento de campo adequado, eles poderiam começar a faturar muito.

Quando o representante começava a ler a primeira página do primeiro manual, ele aprendia onde poderia encontrar a inspiração para agir – pensando em Deus. O que ele lia era o seguinte:

O sucesso, em todos os campos de atuação, sempre foi auxiliado por orações. Não importa qual seja nosso credo, a oração, de um ponto de vista psicológico, é benéfica para materializar as ideias que nos levam a um objetivo, desenvolvendo uma força interna motivadora. Agradecer ao Poder Divino no fim de um dia bom nunca fez mal a ninguém – e pedir ajuda ao Poder Divino para lhe mostrar o caminho rumo ao sucesso já ajudou muita gente...

... Se você quer obter resultados, tente orar!

O REGISTRO DE VENDAS

Quando a Depressão chegou, eu não tinha nenhum indicador do que exatamente estava acontecendo na minha empresa. Mas, quando acordei para esse fato, pedi que Rand McNally instalasse sistemas Kardex especiais, cuja finalidade era fornecer informações mensais e anuais sobre a venda dos produtos por estado, cidade, gerente comercial e vendedor. Eles foram criados por especialistas que tinham o *conhecimento* e o *know-how* necessários obtidos com a experiência. Abas coloridas eram utilizadas para indicar a última data em que havíamos feito contato com um representante e o dia em que deveríamos escrever para ele.

Com esses sistemas, finalmente desenvolvemos um "registro de vendas". Se usado devidamente, ele indicaria nossos resultados anteriores, a posição atual e a direção em que estávamos indo, além de mostrar as zonas de perigo. Mas eu não precisava de um sistema para ver que as dificuldades tornam os homens mais fortes ou por que a Depressão era uma bênção disfarçada para quem a encarou com a atitude mental correta.

No próximo capítulo, você verá como as pessoas que tinham uma atitude mental negativa foram ensinadas a se motivarem para desenvolver a atitude mental correta.

Infalível

PEQUENAS DOBRADIÇAS
QUE ABREM GRANDES PORTAS

Você é um produto do seu ambiente. Então escolha o ambiente que o faça progredir rumo ao seu objetivo. Analise a sua vida em termos de ambiente. As coisas ao seu redor estão conduzindo você ao sucesso – ou estão atrasando sua chegada?

11
Misteriosas fontes de poder

"Por favor, Deus – que alguém venha ao meu resgate... Por favor, Deus – que alguém venha ao meu resgate...!" Por diversas vezes, Bill Toles continuou repetindo com humildade, sinceridade e esperança: *"Por favor, Deus – que alguém venha ao meu resgate... Por favor, Deus – que alguém venha ao meu resgate...!"*.

William Toles, marinheiro da Marinha americana, havia sido lançado para fora do seu navio, caindo no mar às quatro da manhã. Quando caiu na água, seguiu as instruções da Marinha: tirou seu macacão e fez um colete salva-vidas improvisado com ele, como havia feito tantas vezes durante seu treinamento.

Horas e horas passaram-se; aparentemente, ninguém o havia visto cair ao mar. Às três da tarde, ele foi avistado por marinheiros do *Executor*, um navio de carga norte-americano. E quando foi trazido a bordo, a primeira coisa que fez foi uma oração de graças.

Essa história é contada no maravilhoso livro de desenvolvimento pessoal de Harold Sherman, chamado *TNT, The Power Within You*[7]. Usei-o diversas vezes em minhas palestras e já enviei o livro para ins-

---
7. TNT, o poder dentro de você, em tradução livre.

pirar os representantes comerciais que trabalham sob minha supervisão. Por quê? Porque o capitão do *Executor* havia mudado sua rota e resgatou Bill Toles a mais de trezentos quilômetros de distância de seu trajeto regular – e até hoje ele não sabe dizer por que mudou a rota.

SUAS PRECES FORAM ATENDIDAS

Recentemente, o Dr. Joseph Maddy e sua esposa, Fay, foram jantar em nossa casa. Contei-lhes a história de Bill Toles, como o autor Harold Sherman havia me contado logo após a publicação do livro.

Fay disse: "Que interessante, tivemos uma experiência parecida. Em Interlochen, tínhamos um vizinho que morava do outro lado do lago, que todos chamavam de Marujo. Alguns anos atrás, no inverno, Joe e eu estávamos com nosso trailer em Marathon, na Flórida, e enquanto Joe fazia compras na cidade encontrou o Marujo, que lhe contou sobre a sorte que havia tido na pescaria.

Na manhã seguinte, Joe e Marujo saíram em pequenos barcos a motor separados. Ambos decidiram ignorar as bandeiras de advertência, e, à tarde, o mar ficou agitado.

O Marujo voltou às quatro, como os outros barcos de pesca comuns. Como Joe não voltava, comecei a ficar preocupada. E comecei a orar."

"O que aconteceu?", perguntei a Joe.

Ele respondeu: "Bem, a tempestade chegou de repente. As ondas estavam tão altas e o barco era tão pequeno que uma onda me derrubou no mar. Fui para o fundo. Fui para o fundo novamente. Mas dessa vez, quando voltei à superfície, meus braços estavam estendidos e minha mão agarrou a lateral do barco, e eu consegui subir.

"O barco dera uma volta completa, pois, quando olhei em volta na primeira vez que subi, eu não consegui vê-lo."

Então Fay disse: "Joe e eu imaginamos que isso tenha acontecido logo depois das quatro... enquanto eu rezava".

As histórias de Bill Toles e Dr. Joseph Maddy também são contadas porque acredito no poder da oração. Orar é uma parte muito importante do meu *Sistema de sucesso Infalível*.

O poder da oração é misterioso, assim como todos os fenômenos físicos e naturais, até que um homem se torne sábio o suficiente para entendê-los.

Mas, independentemente de nossa compreensão, fatos são fatos. Para cada efeito, há uma causa, e quando sabemos que determinada ação traz determinado resultado, podemos usar o princípio aplicável, embora não saibamos por que ele funciona.

O HOMEM COM O CÉREBRO-RADAR

Muitos autores na área de desenvolvimento pessoal estão buscando uma verdade que se aplique aos poderes conhecidos e desconhecidos que afetam, ou podem ser afetados, pela mente humana. É por isso que fiz questão de conhecer Peter Hurkos, o homem com o cérebro-radar. Visitei Peter, sua esposa, Maria, e sua graciosa filhinha, Carolina, e nos tornamos bons amigos.

Durante nossa primeira visita, Peter Hurkos pediu à Sra. Stone que anotasse um nome em um pedaço de papel e lhe entregasse. E foi o que ela fez.

Sem olhar para o que estava escrito, Peter amassou o papel com a mão direita. Em seguida, contou muitas experiências que aconteceram anos antes, o que nos deixou surpresos. Todas elas estavam cem por cento corretas. E ele descreveu a pessoa cujo nome estava escrito no pedaço de papel e novamente nos surpreendeu com sua precisão.

Infalível

Certa vez, quando Peter estava no meu escritório em Chicago, fiz uma ligação de longa distância para um amigo ligado à indústria cinematográfica em Hollywood. Peter mal havia tocado no fio do telefone e, quando encerrei a conversa, ele descreveu a aparência física e algumas características do homem com quem eu estava conversando. Em outra ocasião, ele apertou a mão de Lou Fink, do meu departamento de relações públicas, e disse-lhe coisas que só o próprio Lou sabia. Ao visitar o clube de rapazes Robert R. McCormick, de Chicago, ele surpreendeu não só a mim, mas também a todos os rapazes, que ficaram maravilhados com a precisão da sua descrição dos acontecimentos e problemas específicos que cada um enfrentava.

Antes de conhecer Peter Hurkos, fiz questão de ler seu livro, *Psychic, The Story of Peter Hurkos* [Psíquico, a história de Peter Hurkos, em tradução livre], bem como os artigos de Norma Lee Browning no jornal *Tribune*, de Chicago, e sua reportagem arrepiante sobre quando o conheceu.

Mais tarde, Norma Lee me contou: "Ele acertou praticamente cem por cento dos testes a que o submeti".

Talvez você tenha lido reportagens sobre suas previsões precisas de resultados de jogos de beisebol e suas proezas ao solucionar crimes. Na Europa, ele é conhecido como o "detetive telepático", pois acredita-se que tenha resolvido muitos crimes – entre os quais, 27 assassinatos em dezessete países. Seu poder de psicometria – tocar um objeto e contar as experiências de quem tocou o objeto – é absolutamente desconcertante.

O grande objetivo da vida de Peter é descobrir os limites dos seus poderes psíquicos e aprender a usá-los pelo bem da humanidade.

CANAIS ESCONDIDOS DA MENTE

O homem que talvez tenha mais feitos no campo da parapsicologia é o Dr. Joseph Bank Rhine, da Universidade de Duke. Ele passou mais de 34 anos da vida em Duke, explorando cientificamente os poderes da percepção extrassensorial e tentando provar sua legitimidade.

Encontrei o Dr. Rhine em diversas ocasiões e, ao longo de todas as nossas conversas, fiquei cada vez mais convencido da possibilidade de que o mundo está prestes a passar por uma revolução sobre as descobertas de fenômenos psíquicos que serão ainda mais fantásticas do que as descobertas tecnológicas das últimas décadas.

Os livros do Dr. Rhine, *New World of the Mind* [Novo mundo da mente, em tradução livre], *The Reach of the Mind* [O poder da mente, em tradução livre] e *Parapsychology* [Parapsicologia, em tradução livre], em coautoria com J.C. Pratt, são cabais. Agora sua esposa, Louisa E. Rhine, que há muitos anos se dedica a pesquisar com o marido, brindou-nos com o livro *Hidden Channels of the Mind* [Canais ocultos da mente, em tradução livre], uma obra de fácil leitura que relata diversas histórias interessantes sobre experiências espontâneas – do tipo que você pode ter, mas não reconhece porque as encara como simples coincidências. Elas podem estar no campo da telepatia (transferência de pensamentos), da clarividência (o poder de discernir objetos que não estão expostos aos sentidos), da retrocognição (enxergar o passado) ou da precognição (enxergar o futuro).

Os fenômenos psíquicos são mencionados aqui pelo simples motivo de que faz bem perceber que existem poderes desconhecidos – pois, quando você percebe a possibilidade de algo que parece improvável, está agindo como um cientista. Você expande seus horizontes.

PREVISÕES

Não é necessário estudar fenômenos psíquicos para levar uma vida feliz, saudável e bem-sucedida, por mais que esse tema seja muito interessante e que poderes desconhecidos possam afetar sua vida.

Mas é desejável *enxergar o futuro da melhor maneira possível, com a ajuda de conhecimentos científicos*. Porque aí você poderá tomar decisões de maneira mais acertada – principalmente decisões que influenciem um negócio ou um patrimônio tangível. *E entender ciclos e tendências é muito importante na ciência prospectiva.*

Passei a compreender *ciclos* e *tendências* quando Paul Raymond, vice-presidente responsável por empréstimos no American National Bank and Trust Company, de Chicago, enviou-me o livro *Cycles* [Ciclos, em tradução livre], de Edward R. Dewey e Edwin F. Dakin.

Tenho usado os princípios apresentados nesse livro de maneira tão eficaz que gostaria de compartilhá-los com você. Por exemplo, quando vejo meu negócio estagnar, uso um princípio que aprendi em *Cycles*: iniciar uma nova tendência, com vida nova, sangue novo, ideias novas e atividades novas.

Hoje sou presidente do Conselho de Administração da Fundação para Estudos dos Ciclos, e Edward R. Dewey, que criou a fundação, é seu diretor executivo.

Como o estudo dos *ciclos* e *tendências* é de extrema importância e ainda assim tão pouco compreendido, pedi ao Sr. Dewey que escrevesse uma carta explicando-os em termos simples. (Ele também escreveu uma carta sobre os *Primeiros Indícios*, sobre os quais você lerá no Capítulo 19.) Veja o que ele tem a dizer sobre o fascinante tema dos ciclos.

CICLOS

Se você observar atentamente, perceberá que muitos eventos tendem a se repetir em ciclos, em intervalos de tempo razoavelmente regulares.

Padrões cíclicos, quando estabelecidos, tendem a se manter. Assim, os ciclos podem ser uma valiosa ferramenta de prospecção.

Por exemplo, você conhece o ciclo de doze meses das estações do ano. Se agora é verão, sabe que daqui a seis meses estará frio e chuvoso. Se agora é inverno, pode antever que, daqui a seis meses, estará jogando tênis e nadando. Ao fazer isso, você está usando seu conhecimento sobre ciclos.

É claro, todos conhecem o ciclo das estações. Mas poucos sabem que também existem outros ciclos.

Todo caçador sabe que, em alguns anos, a caça é abundante, enquanto em outros é escassa. O que a maioria dos caçadores não sabe é que os intervalos entre os anos são geralmente bastante regulares – e, portanto, previsíveis. Mas a Hudson Bay Company conhece esse fato e usa esse conhecimento para prever o abate, com anos de antecedência, e para se preparar para o momento.

Todo pescador sabe que há uma variação na quantidade de peixes de estação para estação. Esse conhecimento pode (e já foi) aperfeiçoado para determinar os comprimentos exatos das ondas e para permitir uma projeção precisa da abundância de peixes.

Vulcanólogos usam esse tipo de conhecimento para prever a erupção dos vulcões; os sismólogos se baseiam nos ciclos para prever – de forma geral – a chegada dos terremotos; e assim por diante, em todas as áreas da ciência.

Até os economistas estão aprendendo que os altos e baixos da atividade humana ocorrem em intervalos de tempo tão uniformes que tal regularidade não pode ser mero resultado do acaso. Esse fato contribui para um melhor conhecimento prévio.

Determinar esses ciclos geralmente é muito simples. Ao olhar para os números em que você está interessado dispostos em um quadro, você provavelmente verá um padrão de onda dominante. No entanto, é preciso habilidade para distinguir ciclos "reais" de flutuações meramente acidentais.

Uma coisa que você pode fazer sozinho é determinar o seu próprio ciclo emocional, ou o ciclo da sua esposa, esposo, chefe ou funcionário.

Desenhe uma tabela conforme demonstrado a seguir.

		MÊS										
			1	2	3	4	5	6	7	8	9	10
Eufórico	+3											
Feliz	+2											
Agradável	+1											
Neutro	0											
Desagradável	-1											
Triste	-2											
Deprimido	-3											

Construir tabela para 30 dias

Tabela 1

Todas as noites, você dá uma nota ao seu humor durante o dia e coloca um ponto no campo correspondente. Conecte os pontos com linhas retas.

Logo, surgirá um padrão. Para homens, o ciclo provavelmente será de duas a nove semanas. Esse é o seu ritmo natural, e, na maioria dos casos, continuará assim. Use o seu conhecimento para prever seu humor e, dessa forma, proteger-se contra um excesso de otimismo ou pessimismo.

A maioria das mulheres tem um ciclo de amorosidade de catorze dias que pode ser detectado e contabilizado da mesma forma (as segundas ondas tendem a ser mais intensas). As emoções das mulheres também parecem respeitar um ciclo de 29 dias e meio que varia conforme as fases da lua (atingindo o pico no terceiro quarto).

Conhecer os ciclos pode ser de grande benefício para a humanidade. Poderá nos ajudar a mudar o que precisa ser mudado e aceitar o que não pode ser mudado.

TENDÊNCIAS DE CRESCIMENTO

O que você precisa saber sobre crescimento é o seguinte: no longo prazo, tudo no universo tende a crescer em um *ritmo* menor à medida que envelhece.

Um bebê dobra de peso em cerca de seis meses. Se mantivesse esse ritmo, logo estaria pesando muitas toneladas. Assim como os seres humanos, as árvores crescem cada vez mais lentamente e, por fim, param de crescer definitivamente. As árvores não chegam até o céu. Nem as empresas ou os países, *a menos que algo novo seja adicionado*.

O *crescimento* é geralmente medido em números. As vendas somaram US$ 100 mil há dois anos, US$ 200 mil no ano passado (crescimento de US$ 100 mil), US$ 300 mil neste ano (crescimento de mais US$ 100 mil) e assim por diante. Parece bom.

A *taxa de crescimento* é expressa em *percentuais*. Se as vendas somaram US$ 100 mil há dois anos e US$ 200 mil no ano passado, a *taxa de crescimento* foi de 100%. Se as vendas somassem US$ 300 mil neste ano, a *taxa de crescimento* teria caído 50%! Que queda! Se a *taxa* de crescimento continuar a cair nesse ritmo, haverá problemas lá na frente.

Sempre pense em crescimento em termos *percentuais*!

Esse problema é tão importante para quem é responsável pelo crescimento de um negócio que quero frisar este ponto. Assim como uma mãe mantém uma tabela de peso do seu bebê, vamos construir uma tabela de vendas de uma empresa imaginária.

		Vendas Anuais US$	Crescimento em cinco anos
1920	Fundação da empresa	20.000	-
1925	Cinco anos após fundação	38.000	18.000
1930	Dez anos após fundação	68.000	30.000
1935	Quinze anos após fundação	116.000	48.000
1940	Vinte anos após fundação	186.000	70.000
1945	Vinte e cinco anos após fundação	279.000	93.000
1950	Trinta anos após fundação	391.000	112.000
1955	Trinta e cinco anos após fundação	508.000	117.000
1960	Quarenta anos após fundação	609.000	101.000

Tabela 2

Esses números foram registrados na forma de uma linha contínua na Imagem 1.

De antemão, parece que a empresa vem crescendo rapidamente, com avanços significativos a cada cinco anos.

Vamos agora projetar a tendência de crescimento da forma como uma pessoa desinformada faria (a linha tracejada na Imagem 1).

Vejamos os números a partir de uma perspectiva de *taxa* de crescimento. Vemos que houve um declínio contínuo na taxa de crescimento, como demonstra a tabela a seguir:

Imagem 1

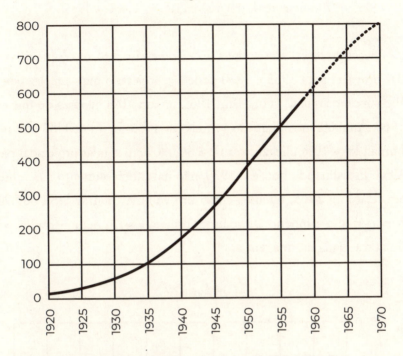

Taxa de Crescimento

1920-1925, aumento de 90% nas vendas em relação a 1920

1925-1930, aumento de 80% nas vendas em relação a 1925

1930-1935, aumento de 70% nas vendas em relação a 1930

1935-1940, aumento de 60% nas vendas em relação a 1935

1940-1945, aumento de 50% nas vendas em relação a 1940

1945-1950, aumento de 40% nas vendas em relação a 1945

1950-1955, aumento de 30% nas vendas em relação a 1950

1955-1960, aumento de 20% nas vendas em relação a 1955

Fica óbvio, a partir da tabela que, durante cada período de cinco anos, a taxa de crescimento dessa empresa hipotética diminuiu 10%, e, se essas tendências se mantiverem, a taxa de crescimento no futuro será de

1960-1965, aumento de 10% nas vendas em relação a 1960

Infalível

1965-1970, aumento de 0% nas vendas em relação a 1965

Conhecendo esses fatos sobre a taxa de crescimento, o volume de vendas provável para 1965 e 1970 pode ser projetado mais precisamente. Pressupomos que as vendas em 1965 seriam 10% maiores do que em 1960. A tabela mostra que as vendas em 1960 foram de US$ 609 mil. Somando os 10%, chegamos a US$ 669.900 em vendas projetadas para 1965. Pressupondo que, em 1970, não haverá crescimento nas vendas em relação a 1965, teremos então um volume total de US$ 669.900 para esse ano também. Os volumes projetados são demonstrados pela linha tracejada na Imagem 2.

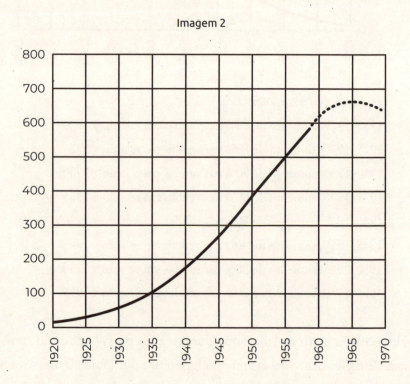

Imagem 2

Em outras palavras, vemos que em 1970 o dinamismo cessará por completo. Nesse momento, a empresa terá se tornado uma das muitas que seguem um ritmo de forma conservadora e madura – e provavelmente entrará em um leve declínio até que um concorrente agressivo a expulse de uma vez por todas do mercado ou venha "sangue novo" para dar à instituição em decadência uma nova cara.

Projeções desse tipo, baseadas no padrão da taxa de crescimento e que mostram o momento da dita "maturidade", são ferramentas importantes para estudantes de economia aplicada.

Em nosso cenário hipotético, desenha-se uma taxa de crescimento regularmente descendente – uma regularidade incomum para qualquer instituição da vida real. Mas é útil para ilustrar um fato que tanto os empresários quanto os investidores geralmente ignoram: a taxa de crescimento em uma organização é um forte indício de sua vitalidade.

Tudo que eu disse até aqui foi negativo. Partindo do princípio de que essa é a situação natural dos negócios, o ponto de vista positivo se recusa a aceitar essas tendências naturais. Ele fará algo a respeito.

A essência da mudança nas tendências de crescimento natural é introduzir algo novo que despertará novamente a tendência de crescimento.

Há setenta anos, por exemplo, a indústria de carruagens estava atingindo seu ponto de maturidade. Alguém teve a ideia de introduzir a propulsão mecânica, e olhe como está a indústria de carruagens hoje! Poderíamos citar diversos outros exemplos.

Resumindo: é natural que a taxa de crescimento de qualquer coisa entre em declínio, mas, com bastante criatividade e diligência, as velhas tendências de crescimento podem ser substituídas por novas tendências.

LIBERTE-SE DAS AMARRAS

Se você é o tipo de pessoa que permite que as condições externas controlem seu destino, liberte-se das amarras!

Porque são as *amarras* que o deixam preso a um estado de completa sujeição aos desejos alheios; ou, como dizemos aqui, *sujeição às influências externas e atitudes e pensamentos internos negativos.*

Quanto mais pesquiso para descobrir os poderes da mente humana e como usá-los, mais me convenço de que o *sucesso* ou o *fracasso são essencialmente o resultado da atitude das pessoas.*

A atitude das pessoas é o resultado de uma motivação, e uma *motivação* é um *desejo interno* que o induz a agir. O termo "inspiração", como quando nos referimos a *inspiração para agir*, é o desejo interno que incita as pessoas a realizarem boas ações. E isso desenvolve uma *Atitude Mental Positiva.*

Mas uma motivação pode ser ruim. E, quando é ruim, esse desejo interno desenvolve uma atitude mental negativa.

Quando há um conflito entre um desejo interno de viver de acordo com as leis morais, o que é bom, e fortes emoções, sentimentos e emoções herdadas (que também são bons quando direcionados e controlados de forma adequada), você passa a ter um problema.

Mas o que é bom ou ruim?

O que fazer quando uma virtude entra em conflito com outra?

Como você pode desenvolver uma atitude mental positiva?

O título do romance de Samuel Butler, *O destino da carne,* é tão verdadeiro e simbólico que o usei para o próximo capítulo, em que você lerá histórias sobre várias pessoas que se viram diante da necessidade de responder essas perguntas que todos se fazem. Alguns tiveram sucesso nessa batalha interna, enquanto outros tombaram... tudo porque suas atitudes foram positivas ou negativas – boas ou ruins.

O objetivo do Capítulo 12 é ajudá-lo a enfrentar essas batalhas internas de maneira inteligente e eficiente.

PEQUENAS DOBRADIÇAS QUE ABREM GRANDES PORTAS

Os misteriosos poderes da mente humana em estado de oração – e os fantásticos poderes psíquicos do homem – funcionam segundo leis universais. Essas leis funcionam independentemente da falta de compreensão, descrença ou ignorância das pessoas.

A lei universal sempre segue um padrão. Tudo que se move ou cresce tem um ciclo e uma tendência. A lei da natureza diz que todos os organismos naturais ou criados pelo homem amadurecem, definham e morrem – a menos que haja um renascimento despertado por uma nova vida, um novo sangue, novas ideias e novas atividades.

É possível ter conhecimento e *know-how* para olhar para o futuro e criar novos ciclos e novas tendências.

12
O destino da carne

Veja-o em seu melhor, veja-o em seu pior, e você verá o homem e o destino de sua carne: em parte animal, em parte pecador; em parte santo, em parte divino. Em minha busca pelo *Sistema de sucesso Infalível*, logo percebi que a moralidade também influencia todas as realizações permanentes e bem-sucedidas. Se o homem não aprender a controlar o pecador, o animal dentro dele, ele nunca conseguirá liberar todo o seu potencial de realização.

Com o tempo, consegui reconhecer quatro causas de fracasso básicas entre vendedores; é claro, elas também se aplicam à busca pelo sucesso em qualquer área de atividade. São elas: sexo ilícito, álcool, mentiras e roubo. Por tentativa e erro – tentativa e sucesso –, obtive o *know-how* necessário para combater esses destruidores de homens dentro da minha equipe de vendas. Quando você associa, assimila e usa os princípios deste capítulo, verá que é fácil despertar o bem – e até mesmo o sagrado – da sua própria natureza. Ao fazê-lo, você descobrirá que o bem lhe dá poderes com os quais nunca sonhou.

O BEM QUE EU FARIA, EU NÃO FAÇO.
O MAL QUE EU NÃO FARIA, EU FAÇO

O motivo pelo qual você não faz o que é certo quando deveria é porque não criou os hábitos corretos. Então vamos falar um pouco sobre hábitos e como estabelecer bons hábitos.

Quando você faz algo errado sabendo que é errado, você o faz porque não desenvolveu o hábito de controlar ou neutralizar de maneira eficiente os fortes desejos internos que o provocam, ou porque criou maus hábitos e não sabe como eliminá-los de uma vez por todas. É importante reconhecer a verdade: *você sempre faz o que quer*.

Isso é verdade para qualquer ação. Você pode dizer que precisava fazer algo, ou que foi forçado a fazê-lo, mas, na verdade, tudo que você faz é uma escolha. Só você tem o poder de decidir por si mesmo. Portanto, um dos segredos a serem aprendidos é como desenvolver o sentido do "Eu quero!" segundo sua própria vontade.

"Mas e as tendências hereditárias?", você pode perguntar.

Essa é a história de um jovem que efetivamente se protegeu contra possíveis grandes danos.

Pouco tempo atrás, em um coquetel antes de uma reunião do Clube Executivo de Vendas de Chicago, um amigo perguntou a Bob: "Que tipo de uísque você prefere?".

Ele sorriu e respondeu: "Nenhum. Eu não bebo". Após alguns segundos de hesitação, Bob perguntou: "Quer saber por quê?".

O amigo disse que sim, e Bob prosseguiu: "Você conhece o meu pai. Todos conhecem sua fama. Ele é considerado um gênio em sua área. É um dos homens mais incríveis do mundo. E, mesmo assim, minha mãe, que o venera, sofre miseravelmente porque meu pai é alcóolatra. Meu pai chegou a ganhar US$ 50 mil por ano. Apesar disso, geralmente nossa família tinha problemas financeiros. Mas o que é ainda pior: minha mãe era torturada com humilhação, agonia e medo".

Ele hesitou por um momento e então continuou: "Amo minha mãe. Amo meu pai também. Não o culpo. Mas, quando era garoto, decidi que, se uma pessoa tão maravilhosa e inteligente quanto ele podia causar tanta dor em sua família por conta do hábito de beber, eu nunca beberia. Por que eu, seu filho, faria isso, arriscando ter herdado essa tendência ao alcoolismo também? Se eu de fato tivesse herdado essa tendência, melhor seria se eu não bebesse *nem um gole*. E esse gole nunca chegou. Tenho certeza de que você me entende".

Há algo que se possa fazer sobre a hereditariedade?

Sim. Você pode controlar as tendências hereditárias. Você pode desenvolver as tendências desejáveis e neutralizar as indesejáveis. Porque você tem o poder de escolha. Não dê o primeiro passo rumo ao mau caminho. Não inicie intencionalmente um hábito se a tendência a esse hábito já se mostrou prejudicial na sua família. Assim como Bob, não arrisque. Aprenda a dizer "não".

William James, o maior psicólogo da América, escreveu: "Assim como ficamos bêbados tomando um gole de cada vez, também nos tornamos santos, autoridades e especialistas por meio de inúmeras ações isoladas e horas de trabalho". E ele enfatizou um princípio importante para quebrar um hábito:

Pare imediatamente. Conte para todo mundo. *E nunca se permita nenhuma exceção.*

Quando você é tentado pelos seus amigos a fazer algo errado pela primeira vez, ou a participar de ações condenáveis ou prejudiciais, crie a coragem de dizer "não". Deixo aqui um exemplo para ilustrar.

Peguei um táxi do aeroporto de Idlewild até Nova York. O motorista parecia ter uma opinião sobre tudo e qualquer coisa. Eu não disse nada até que ele fez o seguinte comentário:

Infalível

"Este é o bairro onde nasci e cresci. Nunca vou me esquecer da noite em que fui chamado de *maricas* porque me recusei a ir com a gangue roubar o armazém do Tony do outro lado da rua.

Naquela noite, enquanto eu corria para casa, percebi que estava andando com a turma errada. É engraçado como alguns jovens não têm coragem de dizer 'não' quando são provocados por seus colegas".

"Mas isso não é engraçado", eu disse. "É uma tragédia. Pois é assim que a maioria dos jovens vai para o mau caminho. Andar com a turma errada. E porque não têm a coragem de dizer 'não' quando são provocados."

A INSINUAÇÃO É TENTADORA...
A AUTOSSUGESTÃO AFASTA O MAL

E então continuei: "Você sabia que um milhão e meio de adolescentes vão parar em instituições penais por roubo de carros e outros crimes todos os anos?".

Havíamos chegado ao meu hotel, então não consegui continuar explicando como essas tragédias pessoais poderiam, em muitos casos, ser evitadas se os pais aprendessem a usar sugestões de maneira eficiente. Dessa forma poderiam ensinar seus filhos e filhas a usar o poder da autossugestão para fazer o bem e evitar o mal.

Você já deve ter sentido que, sempre que está em um novo ambiente ou antes de fazer algo que nunca fez, há uma sensação ou medo que o faz hesitar. Isso é especialmente verdade quando você é tentado a fazer o mal. Talvez o medo seja forte o suficiente para impedi-lo de cometer a ação indesejável. É a forma que a natureza tem de protegê-lo contra os perigos desconhecidos.

É por isso que temos certeza de que ninguém comete uma ofensa grave sem parar para pensar, a menos que já tenha criado um hábito por meio de ações antecedentes de menor importância. Coisas assim não acontecem de repente, assim como uma pessoa só age em resposta a uma *sugestão, autossugestão* ou *sugestão automática*. Você entenderá como elas funcionam mais adiante, mas seguem-se aqui breves explicações.

A *sugestão* é algo que você vê, ouve, saboreia ou cheira. Vem do exterior. Por exemplo, uma criança aprende a andar porque vê seus pais andando. Aprende a falar porque ouve pessoas conversando. Tira ideias dos livros quando aprende a ler.

A *autossugestão* é uma sugestão que você dá a si mesmo intencionalmente. Pode assumir a forma de um pensamento, uma visão, um som, um sentimento, um sabor ou um cheiro, por meio do poder da sua imaginação. Você pode visualizar palavras simbólicas ou dizer palavras para si mesmo ou em voz alta, ou então anotá-las. É isso que se faz quando se aprende palavras de motivação. Assim, quando você decide fazer uma afirmação para si mesmo ou pensa em algo que afeta o seu subconsciente, isso é autossugestão.

As seguintes afirmações podem se tornar palavras de motivação se você lhes atribuir sentido e desenvolver o hábito de reagir a elas:

Tenha a coragem de dizer "não!".
Tenha a coragem de encarar a verdade.
Faça a coisa certa porque é o certo.
Faça agora!

A *sugestão automática*, como o nome já diz, é automática. É uma sugestão do seu subconsciente que aparece na sua consciência na forma de uma imagem, som, sentimento, sabor, cheiro ou palavras simbólicas. Pode também ser um pensamento.

John entra no ensino médio e quer fazer amigos. Vai lá e faz. Alguns dos garotos, meio brincando e meio sério, sugerem ir até o ferro-velho e pegar algumas calotas. Isso é uma sugestão. A consciência de

John ficará perturbando-o até que ele desenvolva o hábito de roubar. Mas, se os pais de John o ensinaram a usar a autossugestão por meio de palavras de motivação, como: *Não roubarás* ou *Tenha a coragem de dizer "não"*, então palavras simbólicas ou pensamentos dizendo "Não roubarás" e "Tenha a coragem de dizer 'não'" aparecerão na sua consciência a partir do subconsciente. Essa é uma sugestão automática.

No processo de aprendizado, os pais podem sugerir a John que repita *Não roubarás* e *Tenha a coragem de dizer "não"* várias vezes de manhã e à noite, todos os dias, por um período de uma semana. Ao repetir voluntariamente essas afirmações para si mesmo, John, com o desejo de imprimi-las em seu subconsciente para que o ajudem em momentos de necessidade, está usando a autossugestão. Seu subconsciente é afetado e irá despertar as palavras de motivação quando ele estiver diante de uma emergência à qual esses pensamentos são associados. Isso é sugestão automática. Então ele, como o taxista, terá a coragem de dizer "não". Ele pode até mesmo usar sua influência para motivar seus colegas a fazer a coisa certa porque é o certo.

UNIÃO

Digamos que John tenha uma irmã bonita, a May. Como com qualquer outra garota adolescente, o instinto inerente do sexo para cumprir sua missão de vida é um desejo interno sempre presente. Mas, novamente, a natureza a protege com seus métodos – o sentimento de medo e a consciência do perigo, para fazê-la hesitar e pensar. May, assim como seu irmão, John, quer fazer amigos, e é o que faz. Mas ela se envolve com a turma errada. E um dos garotos, meio brincando e meio sério, faz uma sugestão – uma sugestão errada. Quanto mais persistentes e repetitivas forem essas sugestões, mais impactos terão em seu subconsciente.

Mas, se os pais de May a tiverem ensinado como usar autossugestões, então ela fará a coisa certa, no momento certo, e May vai encarar seus problemas de maneira inteligente – e vai fazer a coisa certa.

Se John e May tivessem pais que entendessem o uso do poder da sugestão, da autossugestão e da sugestão automática, May nem teria entrado para a turma errada. Um adolescente que é ensinado devidamente sabe que será afetado pelo ambiente. A sugestão vem do ambiente. E, nesse caso, os amigos próximos e colegas são uma das influências ambientais mais fortes.

Talvez você já tenha lido estes versos muito citados:

O vício é uma criatura horrível de olhar
Que, para odiá-la, temos que vê-la;
Mas se sua cara, muito vista, se tornar familiar,
Vamos tolerá-la, senti-la e, por fim, aceitá-la.

Repito, se os pais de John e May fossem os tipos de pessoas que dedicam tempo para cumprir sua missão enquanto pais, conversando com os filhos sobre os problemas importantes da vida, então os jovens aprenderiam a desenvolver padrões de comportamento elevados e invioláveis para si mesmos, por meio de sugestões. Eles aprenderiam a escolher amigos de caráter, seriam criteriosos ao escolher seus laços permanentes, conseguiriam ajudar seus amigos a encarar a vida com coragem.

Podemos presumir que, se os pais tivessem se habituado a passar um tempo discutindo essas questões, o sentimento de empatia entre John, May e seus pais seria tão grande que eles desejariam aceitar e agir conforme os conselhos de seus pais.

Quando os pais não dedicam um tempo diário a cultivar a união com seus filhos, as sugestões que fazem, se é que o fazem, geralmente causam uma reação reversa. Então o garoto e a garota vão fazer, cons-

Infalível

ciente ou inconscientemente, exatamente o oposto do que seus pais desejam. E, em vez de neutralizar, resistir e afastar influências externas indesejáveis em momentos de tentação, eles tendem a se entregar à tentação – alguns psicólogos dizem – apenas para irritar os pais.

Se você quer aprender a desenvolver *união*, conhecer-se e conhecer seus filhos e compreender os problemas importantes da vida, leia o livro *You and Psychiatry*[8].

Os princípios que usei para lidar com os problemas dos meus vendedores também podem ser aplicados eficazmente por você, pois, como todos os princípios universais, eles são relativamente simples.

- Usei sugestões para desenvolver em cada indivíduo o desejo de fazer a coisa certa porque é o certo.
- Ensinei-lhes como usar autossugestões para fortalecer o desejo de fazer a coisa certa porque é o certo.
- Mudei o ambiente do indivíduo sempre que necessário para fazê-lo tomar o caminho certo rumo aos seus objetivos.
- Ensinei-lhes como escolher um ambiente que fosse saudável e bom para eles.

As histórias que você leu indicam o uso desses princípios. E as experiências que você encontrará nos próximos capítulos irão, em muitos casos, empregar todos eles.

Mas, neste momento, você deve estar em posição de usar os princípios de sugestão e autossugestão e compreender a importância de selecionar o ambiente que irá ajudá-lo a alcançar seus objetivos.

Por exemplo, você pode:

- Usar as palavras de automotivação mencionadas neste livro.

---

[8]. Você e a psiquiatria, em tradução livre. Menninger e Leaf, Scribner's, Nova York, 1948.

- Desenvolver suas próprias palavras de automotivação.
- Influenciar as pessoas por meio de sugestões.
- Continuar a ler este livro e outros livros de desenvolvimento pessoal recomendados aqui.

Mas agora vamos falar sobre mentiras... a mais comum entre as quatro causas básicas do fracasso: *sexo*, *álcool*, *mentiras* e *roubo*.

A mentira faz com que heróis se tornem traidores. Adultos que não estabeleceram padrões de conduta moral elevados e invioláveis como um guia para si mesmos não cresceram de fato. Como uma criança, são egoístas. Só pensam em si. Mas, diferentemente da criança, dizem os psiquiatras, esses adultos não têm uma mente saudável. São imaturos. Como não cresceram, não aprenderam a ter coragem de encarar a verdade. Então, pequenas mentiras se tornam grandes mentiras, que logo se tornam crimes hediondos.

Pois, como Benedict Arnold na Guerra da Independência, um herói pode se tornar um traidor se não crescer emocionalmente e sempre desprezar a mentira.

O TRAIDOR

O ousado ataque de Benedict Arnold ao forte Ticonderoga provou que ele foi um dos nossos generais mais intrépidos e bem-sucedidos durante a Independência. Sempre achei que Arnold tinha muitas das características mais notáveis de um grande gerente comercial. Mas ele também tinha os defeitos que fazem com que muitos homens fracassem na vida. Ele era um homem de grandes capacidades, muitos interesses e extraordinária disposição. Tinha iniciativa e uma garra impressionante. Mas, como alguns gerentes comerciais, Benedict Arnold era extremamente egocêntrico. E geralmente, quando seus interesses pessoais eram envolvidos, *suas ações se pautavam na emoção*, e não na razão. Nesse aspecto, ele não havia amadurecido.

Como era um general combativo, era muito querido por seus homens. Mas os congressistas e o alto escalão das Forças Armadas que tinham contato com ele achavam que Arnold era muito problemático. Sua arrogância, demandas injustificáveis, impaciência e teimosia tornavam a convivência difícil, assim como acontece com um gerente comercial com as mesmas características.

Assim como aquele tipo de gerente comercial emotivo, que se sente criticado e punido caso seja rebaixado, Benedict Arnold se sentiu muito magoado e insultado quando, em 1777, foi retirado do comando de suas tropas. No entanto, quando os britânicos atacaram em 7 de outubro, Arnold reuniu as forças revolucionárias sem que lhe tivesse sido imputado qualquer tipo de autoridade. Sua liderança, entusiasmo e habilidades em combate garantiram a vitória mais uma vez, e o Congresso mostrou seu reconhecimento, promovendo-o a major-general.

Uma mulher geralmente é o maior fator de influência na determinação do eventual fracasso ou sucesso de um homem. Foi em 1779 que Benedict casou-se com uma garota de dezoito anos, filha de um radical monarquista britânico. É notável que, exatamente naquela primavera, tenha sido a *primeira vez que ele ofereceu seus serviços ao inimigo*. Em maio de 1780, Arnold pediu o comando de West Point, que lhe foi concedido. E ele imediatamente informou aos britânicos que lhes entregaria o forte por 20 mil libras esterlinas, pois era isso que havia planejado.

Suas razões para traição foram pessoais, não políticas – assim como a deslealdade de um gerente comercial perante sua empresa é pessoal, e não uma questão de princípios. Arnold, assim como o gerente comercial que trai seu patrão, racionalizou suas ações. Ele, como qualquer pessoa desleal, agiu com base em uma automotivação negativa, *Que vantagem posso tirar?*

ARME-SE AGORA PARA RESISTIR MAIS TARDE

Mas você pode se armar agora para resistir à tentação mais tarde. Habitue-se a reagir imediatamente quando for tentado, usando duas automotivações positivas:

Agradeça pelas suas bênçãos!
Não faça aos outros o que não gostaria que fizessem com você.

O poder das palavras de automotivação ficará evidente na próxima tentação, se você reagir a elas.

Agora você já está pronto para o próximo capítulo: "Como ir de onde você está até onde você quer chegar".

PEQUENAS DOBRADIÇAS QUE ABREM GRANDES PORTAS

Padrões éticos e morais elevados contribuem com realizações bem-sucedidas. Isso é especialmente verdadeiro em questões sobre sexo, álcool, mentiras e roubos. Essas quatro coisas já destruíram mais carreiras de sucesso do que qualquer outro motivo.

O segredo para manter o hábito de fazer apenas o que é certo pode ser encontrado, em grande medida, na *autossugestão*. Por meio da autossugestão, você desperta os poderes do subconsciente e da imaginação.

Eis aqui três automotivações para o bem. Repita-as diversas vezes ao dia:

Tenha coragem de dizer "não!".
Tenha coragem de encarar a verdade.
Faça a coisa certa porque é o certo.

13

Como ir de onde você está até onde você quer chegar

"Quero sua melhor tarifa", eu disse, olhando firmemente nos olhos do assistente comercial.

Ele hesitou por trinta segundos, olhou para a folha de *check-in* que eu acabara de preencher, sorriu, inclinou-se e sussurrou de forma paternal: "Aqui nós gostamos do povo do Arkansas. É do povo de Chicago que gostamos de tirar onda".

Eu ri, e ele achou que eu tinha entendido o porquê. Mas na verdade não tinha, pois ele não sabia que eu era de Chicago.

"Você e sua família ficarão aqui por duas semanas? Vou lhe oferecer nossas melhores acomodações por US$ 5 por noite. Fica bom para você?"

Isso aconteceu em 1932, quando estávamos seguindo o sol. Eu havia obtido uma licença do estado do Arkansas. Enquanto trabalhava lá, meu endereço oficial de correspondência ficava em Little Rock. Então, ao fazer *check-in* no melhor *resort* de Hot Springs, dei meu endereço local, como era de costume. O Arkansas, como você verá mais adiante, foi muito gentil comigo. Muitos dos nossos melhores gerentes comerciais vieram de lá.

Infalível

Durante minha estadia no Hotel Arlington, aproveitei o ambiente. Primeiro, eu saía para vender durante o horário comercial, com uma exceção: eu fazia uma hora a mais de almoço todos os dias. A sauna ficava oficialmente fechada por duas horas durante o almoço. Mas o gerente da sauna de que eu mais gostava e seus funcionários se tornaram meus segurados e, como gostavam de mim, fizeram uma exceção à regra do fechamento. Eu chegava na sauna cerca de cinco minutos antes do meio-dia. Era o único cliente lá. Isso me deu a oportunidade de relaxar e aproveitar os benefícios para a saúde das águas quentes de Hot Springs. Então, às duas da tarde, eu praticamente começava um novo dia de vendas.

Habituei-me a praticar exercícios físicos todos os dias, como tênis no verão e patinação no gelo no inverno, e, quando estava hospedado em um *resort*, aproveitava as estruturas disponíveis. Convenci-me de que, para ter uma mente saudável, devemos tentar manter um corpo saudável.

SE VOCÊ QUER UM EMPREGO, CORRA ATRÁS DELE

Todos os anos em março, eu voltava para Hot Springs e ampliava meu negócio na região. Em 1935, logo antes do período de renovações das apólices que eu havia vendido no ano anterior, recebi uma carta de D. A. Cooke, que estava procurando uma oportunidade de atuar como gerente comercial. Ele perguntou especificamente sobre quem cuidaria dos negócios estabelecidos. Não foi difícil convencê-lo a me representar, pois fora ele quem tinha ido atrás do emprego e conseguido. Eu não tinha ninguém atuando na região naquela época.

D. A. Cooke, como muitos nativos do Arkansas, era um verdadeiro cavalheiro. Minha experiência com esse povo me levou muitas vezes a pensar que deve haver algo no solo do Arkansas que faz crescer pessoas incríveis. Veja W. W. Sutherland, por exemplo.

Bill é uma das pessoas de melhor caráter que já conheci. Foi ele que me provou que eu poderia administrar uma empresa a mais de mil quilômetros de distância se tivesse o homem certo defendendo meus interesses. É a ele que devo o mérito de ter estabelecido a Combined American Insurance Company em Dallas. Sempre que Bill tomava uma decisão, era a decisão certa – pois era um bom homem, de muito bom senso.

No dia em que trabalhei com D. A. Cooke, fomos de Hot Springs a Malvern. Mas, por mais que eu tentasse, fiz pouquíssimas vendas. Em toda a minha experiência trabalhando com representantes, diria que não cheguei a ter nem catorze dias ruins, mas aquele foi um deles. Sempre que eu tinha um dia ruim, logo condicionava minha mente e batia recordes no outro dia, exceto quando lancei uma nova apólice em Seattle, Washington. Nessa ocasião, precisei de três dias para recuperar o ritmo das vendas, mas depois, com os vendedores que eu havia treinado, tive um excelente desempenho. Era venda atrás de venda, todos os dias.

Como costumava fazer nos dias ruins, não culpei as condições, as pessoas ou o serviço. Sabia que a culpa era minha. E foi o que eu disse ao Sr. Cooke naquela noite. Ele disse: "Claro, mas realmente não faz diferença, porque agora entendi como o seu sistema funciona".

Se eu soubesse naquela época o que sei hoje, teria trabalhado com o Sr. Cooke no dia seguinte. Mas não me ocorreu que eu poderia ter um dia ruim, então, organizei uma agenda de viagens bastante atribulada. Como aquela experiência tinha sido algo inesperado, nem pensei em fazer reajustes na minha agenda. Então fui até o representante seguinte, que eu deveria treinar em outro estado, e, ao trabalhar com ele, senti-me motivado, pela insatisfação inspiradora, a fazer um trabalho excelente, por conta dos péssimos resultados que eu havia obtido com o Sr. Cooke.

Infalível

Embora eu tivesse uma empresa que operava em todo o território nacional, havia pouquíssimos representantes em alguns estados, em virtude da minha conduta de treinar pessoalmente todos que trabalhavam para mim. Isso demandava tempo, pois eu passava por todos os estados do leste e do sul do país uma vez por ano e pelos estados do oeste a cada dois anos, em diversas viagens rápidas que precisavam dar resultados todos os dias. Lembre-se, minha força de vendas havia sido reduzida, e, ao reconstruí-la, quis que meus representantes fossem treinados adequadamente.

Meu plano era encontrar um vendedor à noite, tentar discutir as questões importantes naquele momento, trabalhar com ele no dia seguinte até perto das três da tarde e então dirigir até minha parada seguinte.

Mas o Sr. Cooke nunca se tornou um vendedor excepcional, e, de certa forma, isso foi bom, porque o obrigou a se tornar um gerente comercial. E um dos motivos para ele ter se tornado um excelente gerente comercial foi porque captou um vendedor fantástico – Johnie Simmons. Johnie, como você verá, tinha as qualificações que faltavam ao Sr. Cooke. E isso me ensinou outro princípio:

Se você não tiver experiência ou um talento ou habilidade específicos e não quiser pagar o preço de adquiri-los, contrate alguém que os tenha para fazer o trabalho por você.

O Sr. Cooke provou ser um bom administrador de vendas. Ele tinha jeito para convencer os vendedores que queria que nos representassem. Seu sistema era muito simples: como não tinha nada melhor a dizer, ele contava a história de W. Clement Stone da forma como a conhecia. E assim aprendi outro princípio: ao entrevistar vendedores, apele à imaginação, à emoção, *contando as histórias de outros homens* da empresa que obtiveram sucesso no mesmo trabalho. Mais tarde, quando passei a usar essa técnica, consegui dominá-la brilhantemente.

VALE A PENA ESTUDAR, APRENDER E USAR UM SISTEMA DE SUCESSO

D. A. Cooke usou essa técnica em sua conversa com Johnie Simmons, cujo escritório ficava logo ao lado do seu. Foi tão eficiente que até hoje Johnie acredita que foi ele que procurou o emprego. Mas o Sr. Cooke pensava que, se você quer alguém, precisa correr atrás dele. E ele foi atrás de Johnie Simmons e o contratou. Quando Johnie se aposentou, ele estava milionário.

ELE TRAMOU UMA REDE INFINITA

Como gerente comercial, Johnnie começou a costurar uma rede infinita que atraía representantes qualificados. Ele nunca anunciava – isso custa dinheiro. Mas sempre parecia ter uma lista de espera de segurados e amigos que queriam trabalhar para nós. Ele enxergou isso. E treinava os representantes que contratava de forma que eles desenvolviam as mesmas qualidades que as suas, portanto, eles ficavam felizes em ajudar Johnie.

Muitos seguiam o exemplo e os conselhos de Johnie, que dizia: "Se você está feliz no seu trabalho, se você estiver se saindo bem, se estiver enxergando um futuro de verdade, então compartilhe a sua oportunidade com familiares e amigos. Dê-lhes a mesma oportunidade que você tem de ganhar bem e ficar rico um dia".

Irmãos, irmãs, pais, filhos, parentes – todos se sentiam atraídos por quem seguia os conselhos de Johnie. A rede que Johnie começou a tecer por fim chegou ao Arkansas, Tennessee, Louisiana, Texas, Mississippi, Alabama, Novo México, Arizona e Carolina do Norte. Vendedores que ele contratou e treinou se tornaram meus gerentes comerciais em muitos outros estados.

UM HOMEM BOM ATRAI OUTRO HOMEM BOM

Não é algo comum entre vendedores ou gerentes comerciais de sucesso compartilhar da sua boa sorte com seus parentes e familiares, incentivando-os a fazer o que eles mesmos estão fazendo. Quando vi o valor desse sistema em rede, incentivei meus outros representantes a também compartilhar de sua boa sorte com seus familiares, o que muitos fizeram. Esse sistema parece atrair homens e mulheres realmente bons – e parece ser uma forma econômica de contratar.

Muitos livros poderiam ser escritos sobre as histórias dos representantes comerciais que me ajudaram a construir meu negócio. Você lerá algumas dessas histórias aqui. Mas agora é melhor contar sobre algumas das partes que ainda faltam daquilo que chamo de meu "mapa do tesouro."

Logo percebi que, à medida que a organização crescia, meu treinamento em campo deveria se concentrar nos gerentes comerciais e melhores vendedores que estavam prestes a ser promovidos, e representantes que, por algum motivo, os gerentes não conseguiam motivar. Enquanto os gerentes poderiam treinar em campo, eu poderia ajudar mais pessoas em reuniões de vendas, nas quais eu poderia lhes transmitir conhecimento e inspirá-los a agir.

Tive muita sorte por descobrir métodos de motivar gerentes comerciais a se tornarem criadores de homens admiráveis e a ajudarem pessoas a se inspirarem para agir. Decidi que, por mais que eu adorasse vender, a organização precisava que eu dedicasse todo o meu tempo à gestão comercial e ao treinamento da equipe.

E foi em 1937 que recebi o livro mais estranho já escrito.

O LIVRO MAIS ESTRANHO JÁ ESCRITO

Naquela época, Morris Pickus, um famoso executivo de vendas e consultor comercial, vendia um livro para organizações comerciais. Quando ele tentou me fazer comprar esse livro para a minha força de vendas, neguei, pois, ao folheá-lo, tive certeza de que era algo que eu não queria. Era um livro sobre frenologia – o estudo sobre protuberâncias do crânio, formato dos narizes, etc. Não era algo que eu queria porque, no meu sistema de vendas, não fazia diferença quantas protuberâncias alguém tinha na cabeça ou qual era o tamanho do seu nariz – de qualquer forma, a pessoa pode comprar. Porque vender depende de como um vendedor pensa. Se um vendedor pensasse que era fácil vender para alguém de nariz comprido, ele venderia – não porque a pessoa tinha um nariz comprido, mas porque o vendedor achara que poderia vender para ela.

Quando Morris Pickus perdeu a venda, fez algo que mudaria minha vida para sempre. Ele me deu outro livro, *Quem pensa enriquece*, em que ele havia inserido uma anotação motivacional pessoal. Quando li *Quem pensa enriquece*, sua filosofia coincidiu com a minha em muitos aspectos e eu também desenvolvi o hábito de ajudar pessoas dando-lhes livros de desenvolvimento pessoal. O que mais me ajudou foi o princípio do MasterMind desenvolvido por Napoleon Hill – duas ou mais pessoas trabalhando juntas em harmonia, com um objetivo em comum. Fez-me perceber que eu poderia contratar pessoas para fazer grande parte do trabalho que eu estava fazendo e, assim, ter mais tempo para outras atividades.

Mas eu sempre tive pavor de sentir que estava devendo algo para alguém, então, depois de ler o livro, liguei para Morris, agradeci e comprei uma de suas obras. E ainda que eu tenha tentado demonstrar minha gratidão de outras formas de tempos em tempos, nunca conseguirei retribuir a ajuda que recebi do livro que ele me deu.

QUEM PENSA ENRIQUECE

Foi o que fiz – pensei e enriqueci. E meus representantes comerciais que estavam dispostos a associar, assimilar e usar os princípios também pensaram e enriqueceram. Dei a cada um deles um livro. E as coisas começaram a acontecer – coisas grandes. Lembre-se, em 1937, estávamos saindo da Depressão. O próprio título do livro já chamava a atenção. Seu conteúdo era empolgante e motivador aos leitores que buscavam riqueza e sucesso nos negócios. Sempre que eu dava uma palestra, tentava compartilhar essa nova ferramenta de trabalho com o meu público, dando-lhe algumas cópias de *Quem pensa enriquece* como prêmio.

Dar livros de desenvolvimento pessoal tornou-se um hábito. Agora tenho o costume de enviar três ou quatro livros motivacionais todos os anos a todos os meus representantes comerciais, equipe administrativa e sócios das empresas que administro. Também envio discos motivacionais e as revistas *Guideposts* e *SUCCESS unlimited*.

Em *Infalível*, você lê histórias que mostram como esse tipo de livro mudou a vida de muitas pessoas para melhor. Mas, por mim, é surpreendente ver que, embora os Estados Unidos tenham tido a sorte de ver surgir um grupo de autores com o poder de motivar os leitores por meio de livros de desenvolvimento pessoal, tão poucas pessoas tiram proveito disso.

Com a distribuição de *Quem pensa enriquece* em 1937, meus gerentes comerciais começaram a ser criadores de homens admiráveis, e nossos vendedores começaram a vender tanto que os resultados alcançados pareciam inacreditáveis para quem não conhecia a arte da motivação. Dois anos depois de receber *Quem pensa enriquece*, mais uma vez eu tinha mais de mil representantes licenciados. Minhas dívidas estavam quitadas. Eu tinha uma poupança e outras propriedades, inclusive uma casa de inverno – um sobrado moderno em

Surfside, na Flórida. Comprei o sobrado porque o aluguel de um dos apartamentos já pagava toda a propriedade.

Embora não haja uma forma de provar, acredito que *Quem pensa enriquece* foi o livro escrito por um autor da atualidade que mais tenha inspirado pessoas a buscar o sucesso profissional e financeiro. Conheça agora a história de uma delas.

UM PEDAÇO DE CARVÃO E ALGO A MAIS

Eu teria uma reunião comercial em Salt Lake City no Hotel Utah. Estava marcada para as dez da manhã. Eu havia chegado perto das oito horas, então tomei meu café da manhã e caminhei até a rua principal para me exercitar um pouco. Enquanto voltava para o hotel, reparei em um cubo de carvão de cerca de um metro em uma grande vitrine. Na frente desse cubo de carvão, havia dois livros: *Quem pensa enriquece* e *O homem mais rico da Babilônia*. Não me pareceu estranho ver o carvão ali, pois a placa do lado de fora dizia Martin Coal Company, mas os livros na frente me chamaram a atenção. Como eu tinha um tempo antes da reunião, entrei na loja e pedi para falar com o proprietário. Contei ao Sr. Martin histórias sobre como *Quem pensa enriquece* havia mudado a vida de muitas pessoas para melhor. E eu disse então:

"Mas o que me traz aqui é que eu gostaria de lhe perguntar por que você colocou os dois livros na frente de um pedaço de carvão".

O Sr. Martin não hesitou e disse, com ar sério:

"O que vou lhe contar agora não é algo que eu contaria para um estranho. Mas sinto que temos algo em comum. Não sinto você como um estranho para mim".

"Obrigado", respondi.

"Alguns anos atrás, meu sócio e eu tínhamos dois negócios – o negócio de carvão e um negócio de cascalho –, e ambos estavam no vermelho. Pensamos que poderíamos salvar um vendendo o outro e descobrimos que não era possível. E, por sorte, ganhei esse livro, *Quem pensa enriquece*."

Então ele hesitou um pouco antes de continuar: "Agora vem a parte que eu não ousaria contar: após estudar o *Quem pensa enriquece* por alguns anos, meu sócio e eu conseguimos tirar os dois negócios do vermelho. É uma coincidência que você venha hoje, pois faz poucos dias que conseguimos pagar todas as nossas dívidas, inclusive todo o nosso estoque. Agora deixe-me mostrar-lhe algo", e abriu seu talão de cheques e disse com orgulho, apontando para um número:

"Temos dinheiro em caixa, além de um estoque de US$ 186 mil. Eu costumava emprestar o livro *Quem pensa enriquece* para os meus amigos. Mas nem sempre eles devolviam. Então achei que pudesse ser útil aos meus irmãos se o livro ficasse exposto na vitrine. E, se alguém se interessar, ofereço o livro, sem custo algum. E o outro livro, *O homem mais rico da Babilônia*, é um livro que eu lhe recomendaria se você ainda não leu, pois conta como qualquer pessoa, mesmo vivendo à base de salário, pode acumular riquezas se seguir seus princípios".

O MAPA DO TESOURO ESTÁ COMPLETO

No ano de 1939, eu havia encontrado todas as partes do mapa do tesouro:
1. Inspiração para agir segundo a própria vontade.
2. *Know-how* para conquistar riqueza e sucesso.
3. Conhecimento de como construir um negócio lucrativo e bem-sucedido.
4. E algo a mais: uma filosofia de vida.

Eu sabia que havia reunido todos os elementos do meu sistema, pois fui colocado à prova em 1939 e consegui passar por ela com sucesso.

Percebi então, como percebo agora, que, para ter sucesso na vida, você precisa buscar mais do que um grande objetivo definido, com um único propósito. Para ter sucesso, você primeiro deve buscar a essência de muitas coisas. E são essas as melhores coisas da vida. E essa essência é abstrata. Nunca é encontrada, nunca é alcançada. Ainda assim, se você buscar pela essência da perfeição, você se aperfeiçoa. Busque pela essência do sucesso e você encontra sucesso pelo caminho. Busque pela essência das conquistas e você conquista cada vez mais.

Mas ao buscar a essência de qualquer coisa, você também se empenha para atingir grandes objetivos específicos, com um único propósito. E assim, cada passo bem dado o conduz para mais perto da essência daquilo que você busca. E ao buscar as riquezas e sucessos tangíveis enquanto procura as verdadeiras riquezas da vida, você irá encontrá-las, se for esse o seu desejo. A essência do sucesso na vida de um homem depende da sua filosofia de vida.

UMA FILOSOFIA VIVA

A essência de uma filosofia de vida é que ela deve ser viva. Para ser viva, precisa ser vivida. Para ser *vivida*, *você* precisa agir! São as ações, e não meras palavras, que determinam o valor da filosofia de vida de um homem.

Pois *a fé sem obras é morta.*

Reconhecendo ou não, todo mundo tem uma filosofia. Você se torna aquilo que pensa. A minha filosofia de vida é a seguinte:

Em primeiro lugar, Deus é bom o tempo todo.
Em segundo, a verdade será sempre a verdade, por mais que seja mal compreendida, desacreditada ou ignorada.

Infalível

Em terceiro, o homem é um produto da sua hereditariedade, do seu ambiente, do seu corpo físico, da sua consciência e do seu subconsciente, de suas experiências e de sua posição e direção específicas no tempo e no espaço... e de algo mais, inclusive de poderes conhecidos e desconhecidos. Ele tem o poder de afetar, usar, controlar e entrar em harmonia com todos eles.

Em quarto lugar, o homem foi criado à imagem de Deus, e tem a habilidade dada por Deus de direcionar seus pensamentos, controlar suas emoções e definir seu destino.

Em quinto lugar, a cristandade é uma experiência dinâmica, viva e crescente. Seus princípios universais são simples e duradouros. Por exemplo, a Regra de Ouro, não faça aos outros o que não quer que façam a você, é conceitualmente simples e de aplicação duradoura e universal. Mas deve ser aplicada para ganhar vida.

Em sexto lugar, acredito na oração e no seu poder milagroso.

Mas o que essa filosofia significa para mim? Não significaria nada se eu não a vivesse. E para vivê-la, devo aplicá-la. Portanto, vou lhe dar um exemplo de como apliquei-a em tempos de necessidade; assim, talvez ela se torne significativa para você.

Em 1939, eu era dono de uma agência de seguros que representava uma grande seguradora do leste. Eu tinha mais de mil agentes licenciados trabalhando em tempo integral sob minha supervisão, em todos os estados dos Estados Unidos. O meu contrato era verbal e previa a distribuição exclusiva de um conjunto específico de apólices contra acidentes. De acordo com aquele contrato, eu era dono da empresa, a empresa imprimia as apólices e pagava os prêmios, e eu assumia todas as outras despesas.

Era primavera. Minha família e eu passávamos férias na Flórida quando recebi uma carta de um dos maiores executivos da empresa. Dizia brevemente que meus serviços seriam dispensados dentro de duas semanas; a minha licença para representar a empresa e as licenças de todos os meus representantes seriam canceladas na mesma data; nenhuma apólice poderia ser vendida ou renovada após aquela data, e o presidente da empresa estava partindo em viagem e não poderia ser contatado por dois meses.

Vi-me diante de um grave problema. O tipo de contrato que eu tinha não se fazia mais. Fazer uma nova conexão para conseguir uma operação como aquela em duas semanas era muito improvável, e as famílias de milhares de representantes que trabalhavam para mim também teriam problemas se eu não encontrasse uma solução.

E o que *você* faz quando tem um problema pessoal sério – seja físico, mental, moral, espiritual, familiar, social ou profissional?

O que *você* faz quando as paredes desmoronam?

O que *você* faz quando não há para onde correr?

É nessa hora que sua fé é colocada à prova – pois a fé não passa de um sonho de olhos abertos se não for aplicada. A fé verdadeira é aplicada continuamente, mas é testada no seu momento de maior necessidade.

E o que *você* faria se tivesse que enfrentar o problema que enfrentei? O que fiz foi o seguinte:

Não contei a ninguém, mas tranquei-me em meu quarto por 45 minutos. Raciocinei: *Deus é sempre bom; o certo é o certo; e toda desvantagem traz consigo uma vantagem ainda maior, se procurarmos.* Então ajoelhei-me e agradeci a Deus pelas minhas bênçãos: um corpo saudável, uma mente sã, uma esposa maravilhosa e três filhos incríveis, o privilégio de viver nesta maravilhosa terra de liberdade – esta terra de oportunidades ilimitadas – e o privilégio de estar vivo. Orei pedindo orientação. Orei por ajuda. E *acreditei* que iria recebê-las.

E parti para uma ação mental positiva!

Ao levantar-me, comecei a pensar e elaborei quatro resoluções:

Infalível

1. Eu não seria demitido.
2. Eu organizaria minha própria seguradora, e, até 1956, ela seria a maior dos Estados Unidos.
3. Eu alcançaria outro objetivo específico até 1956 (esse é de tamanha importância e tão pessoal que seria inapropriado mencioná-lo aqui).
4. Eu entraria em contato com o presidente da empresa, não importasse em que parte do mundo ele estivesse.

Então parti para a ação física. Saí de casa e fui dirigindo até a cabine de telefone público mais próxima para tentar falar com o presidente da empresa, pois não queria que a minha família soubesse sobre a emergência que eu estava enfrentando. Consegui porque tentei. O presidente era um homem de princípios, gentil e compreensivo. Ele me autorizou a continuar operando mediante minha aceitação em retirar o estado do Texas, onde os agentes gerais da empresa estavam enfrentando dificuldades por conta da concorrência dos meus representantes. Iríamos nos encontrar no escritório de casa em noventa dias.

E, dentro dos noventa dias, encontramo-nos. Ainda tenho licença para operar por aquela empresa e continuo trazendo negócios para eles.

Quando 1956 chegou, a empresa que organizei em 1939 não era a maior seguradora dos Estados Unidos, mas era a maior do seu tipo: a maior sociedade anônima que emitia exclusivamente apólices de seguro-saúde e contra acidentes. Meu objetivo pessoal específico também havia sido alcançado.

Mas o que *você* faz quando tem um problema pessoal sério – um problema físico, mental, moral, espiritual, familiar, social ou profissional? A sua filosofia determinará a resposta.

Lembre-se: a essência de uma filosofia de vida é que ela deve ser viva. E para ser viva, ela precisa ser vivida. Para ser vivida, *você* deve agir! São ações, e não meras palavras, que determinam o valor da filosofia de vida de um homem.

PEQUENAS DOBRADIÇAS QUE ABREM GRANDES PORTAS

O livro que você está lendo é um livro de desenvolvimento pessoal. Por si só, se você aprender suas lições, ele pode colocá-lo no caminho para uma vida melhor. Mas há centenas de livros de desenvolvimento pessoal disponíveis no país – livros que surgiram da experiência e da sabedoria de seus autores. Tire proveito deles, pois quanto mais informações e técnicas você utilizar para se preparar, mais rápido o sucesso chegará até você.

PARTE IV

DINHEIRO... E AS VERDADEIRAS RIQUEZAS DA VIDA

A riqueza de uma nação é criada pelo seu povo

Você tem um problema? Que bom!

A inteligência é uma forma de agir

Pense primeiro, e metade do trabalho estará feita

Quando você divide, o excedente se multiplica e cresce

14
Dinheiro e oportunidade

"Como podemos ficar ricos?"

Essa pergunta me foi feita muitas vezes durante meu último *tour* de palestras pela Austrália e Nova Zelândia. Perguntaram-me porque *Atitude Mental Positiva* tinha acabado de ser publicado na Austrália e a contracapa do livro se referia a mim como "o homem que transformou US$ 100 em uma fortuna pessoal de US$ 35 milhões".

Infalível conta como conquistei um patrimônio financeiro para mim e minha família. O propósito do livro é compartilhar com você os princípios que aprendi. Mas, antes que você possa decidir como pode ganhar milhões de dólares – se for isso que você quer, para começo de conversa –, vamos pensar em como é construída a *riqueza moderna*.

Oportunidades para acumular riquezas são tão vastas quanto o ar que respiramos – contanto que respiremos em uma terra de liberdade. Como um livro de desenvolvimento pessoal como *Infalível* o obriga a pensar sobre você mesmo e sobre todas as influências externas que o afetam ou que podem afetá-lo, é interessante pensar sobre o governo. Como ele o afeta? O que você pode fazer para afetá-lo?

Infalível

NOSSA GRANDE HERANÇA

Washington, Franklin, Jefferson e todos os fundadores da nossa nação eram homens dedicados. Eles estavam motivados a estabelecer um governo para o bem do maior número de pessoas – "um governo do povo, pelo povo, para o povo", como Abraham Lincoln expressou tão brilhantemente.

E com a Constituição e com o lema *In God We Trust*,[9] iniciou-se uma tradição e uma filosofia de governo na América que estimulou a integridade, a iniciativa recompensada e a prosperidade estimulada para toda a nação e seu povo – pois a nação prospera à medida que seu povo cria riquezas.

> *A riqueza é criada por meio de uma Atitude Mental Positiva, educação, trabalho, conhecimento,* know-how *e caráter moral do povo, sob um governo que garanta a liberdade e proteja a vida e os direitos de propriedades de cada indivíduo. Os ingredientes importantes para a aquisição de riqueza são o pensamento, o trabalho, matérias-primas, bom crédito e impostos justos. O dinheiro, ou o meio de troca, deve ser de valor reconhecido e aceitável.*

Todas essas coisas são importantes. Todas são boas. Todas são tradicionais nos Estados Unidos. Foram elas que tornaram o país rico. O governo dos Estados Unidos da América, por meio do *cumprimento* de sua Constituição, cria um ambiente favorável para a aquisição de riqueza para você e para todos que a buscam por meio do uso do *Sistema de sucesso Infalível: inspiração para agir, know-how e conhecimento prático.*

---

9. Em Deus confiamos.

Em muitos países, o ambiente é desfavorável para a aquisição de riqueza pelas massas porque mantém a tradição de diferentes filosofias. Nenhum desses países e seus povos irão acumular grandes riquezas se não abandonarem teorias econômicas ultrapassadas sobre riqueza e sobre crédito e não adotarem a atitude mental correta sobre a acumulação de dinheiro.

COMO SE CONSTRÓI RIQUEZA

Você já ouviu muitas vezes que o valor monetário de uma agulha é milhares de vezes maior do que a matéria-prima da qual ela é feita. Da mesma forma, o valor das matérias-primas de um prédio comercial de sessenta andares, um grande navio ou um computador moderno é banal em comparação ao custo final do produto acabado. Os custos reais são pagos na forma de salários pelo *pensamento* e *trabalho* que convertem as matérias-primas em produtos funcionais. A riqueza representada pelo prédio pode flutuar, mas o valor de mercado existirá enquanto a estrutura existir. E assim funciona com o computador ou com o navio, contanto que eles possam ser usados.

Hoje em dia, o *pensamento* e o *trabalho* agregam riqueza, e são representados por patrimônios intangíveis como ações, títulos e contratos. Os patrimônios intangíveis podem oferecer mais riqueza para um indivíduo do que as propriedades tangíveis. O valor de mercado das ações de uma empresa de sucesso, por exemplo, é maior do que o valor de mercado de seus ativos tangíveis. O investidor considera os livros, os negócios estabelecidos, a tendência do mercado, lucros futuros e o maior ativo de todos: uma boa gestão. Assim, o valor de mercado é baseado não só no presente, mas também no futuro.

Os Estados Unidos têm milhões de pessoas com bons empregos que ganham bons salários; centenas de milhares de pessoas ricas; e dezenas de milhares de milionários. Essas pessoas são ricas e milionárias não por liquidar o valor das empresas das quais são donas, mas, na maioria dos casos, por causa do valor de mercado dos títulos que detêm – títulos que conseguiram comprar *economizando dinheiro da renda que ganharam.*

Novamente, o pensamento, o trabalho e as matérias-primas criam empregos e riqueza. E, para obtê-los, é necessário ter bons negócios e um bom sistema de crédito ao consumidor.

Neste país, qualquer pessoa de caráter tem a oportunidade de obter e manter crédito. Você pode converter o seu pensamento criativo, seu talento artístico, seu conhecimento, seu *know-how,* sua personalidade e sua disposição física em grandes fortunas se tiver a atitude mental correta.

Você pode usar um automóvel, móveis ou uma casa – pode abrir uma empresa ou montar uma fazenda enquanto paga por elas no nosso sistema de crédito. Mas, se quiser manter o crédito, você precisa honrar suas obrigações e pagar as contas em dia.

E, ao comprar, você e outros consumidores criam empregos para outros americanos que, por sua vez, compram suas necessidades e luxos a crédito.

Ao quitar sua casa ou qualquer coisa que tenha comprado a crédito, você possui uma riqueza tangível equivalente ao seu valor de mercado. E o valor de mercado de um negócio ou investimento comprado ou feito com dinheiro emprestado pode ser muitas vezes superior ao preço de compra quando tiver sido integralmente quitado.

Ao acumular riquezas a crédito, você aumenta a riqueza da nação. *Porque a riqueza da nação depende da riqueza do seu povo.* E a riqueza do povo depende de uma renda estável obtida em empregos.

O National Sales Marketing Executives Club, Inc. nos conta que um vendedor mantém 32 outras pessoas empregadas. Quando você compra um carro, por exemplo, o vendedor do carro e os funcionários da montadora recebem uma renda. Assim como os fornecedores da empresa fabricante e seus funcionários – além dos donos e funcionários das empresas que fornecem para os fornecedores.

Cada uma dessas pessoas paga impostos, diretos e indiretos. Por sua vez, o governo paga os seus funcionários, e eles fazem compras. Além disso, mais pessoas trabalham e se tornam consumidores, e elas também compram a crédito. Elas também pagam impostos.

Os acionistas também pagam impostos sobre seus lucros, e suas riquezas aumentam à medida que aumenta o valor de mercado das suas ações se as suas empresas prosperam.

IMPOSTOS SÃO BONS

Impostos justos sobre rendimentos e sobre propriedades são bons. São bons para o país, e o que é bom para o país é bom para o povo.

Mas não é aceitável tolerar a corrupção ou o desperdício de dinheiro ou tempo em decorrência de ineficiência ou operações de negócio medíocres. O funcionamento do governo, assim como o de qualquer outra empresa, deveria ser inspecionado com regularidade, para evitar esses problemas.

Repito, o governo dos Estados Unidos pode fazer coisas grandiosas por conta do crédito. Além da renda corrente, ele opera com dinheiro emprestado – e tem um bom risco de crédito, pois nunca, em toda a sua história, deixou de honrar suas obrigações financeiras. A tradição começou quando a moeda emitida durante a Guerra da Independência foi honrada. O caráter moral do governo dos Estados Unidos é uma reflexão do alto caráter moral do seu povo.

Impostos justos são bons, pois é por meio deles que um governo como o dos Estados Unidos pode manter um poderio militar para proteger a vida, a liberdade e a riqueza de seu povo. Pode ajudar todas as pessoas que amam a liberdade em seus esforços de se manterem livres. E, ao ajudar a suprir suas necessidades, passa a adquirir mais riquezas. Mais fábricas, mais máquinas, mais produtos, mais empregos significam mais impostos recebidos.

Os impostos são bons, mas, como muitas coisas boas da vida, podemos não gostar deles se não pensarmos sobre sua necessidade. Quanto aos impostos federais, o Congresso define as regras e diz: "Economizem todos os impostos que puderem, mas respeitem as regras do jogo. Se houver alguma injustiça, iremos mudar as regras". O que pode ser mais justo do que isso?

O empresário esperto de fato respeita as regras do jogo. Ele transforma desvantagens em vantagens e, ao fazer isso, adquire mais riquezas. Em vez de obter lucros na forma de altos rendimentos pessoais (em que os impostos podem chegar a 91% sobre a renda), ele o injeta de volta no seu negócio, e o negócio não para de crescer.

E, então, se ele precisa de uma grande quantia de dinheiro, ele toma o seu pedaço – sempre de acordo com as regras. Ele oferece uma parte da propriedade da sua empresa por meio de uma oferta pública de ações no mercado aberto. E, embora agora detenha uma parte menor da sua empresa, sua riqueza aumenta, porque o valor de mercado das suas ações pode ser muitas vezes superior ao valor de venda ou liquidação da sua empresa se uma parte de suas ações não fossem públicas. Lembre-se de que o comprador das ações considera muitos fatores intangíveis ao comprar, como a gestão e o futuro.

O investidor dessas ações também adquire riquezas. Seu dinheiro faz dinheiro para ele, porque o sócio majoritário ou os gestores da empresa são as pessoas que fazem o trabalho para fazer dinheiro para eles e para quem detém os títulos. Ao fazer isso, o valor das ações do comprador aumenta na mesma proporção. Assim, o acionista também pode pegar dinheiro emprestado para qualquer fim que deseje, usando as ações como garantia.

A RIQUEZA DAS NAÇÕES

Ao comparar as nações ricas do mundo com as pobres, fica evidente que a riqueza de uma nação não se deve à riqueza mineral natural, ao petróleo, a uma vegetação exuberante, clima favorável, bons portos e reservas abundantes de águas interiores. Essa riqueza se deve, principalmente, ao conhecimento, ao *know-how* e ao trabalho do seu povo. Os recursos naturais não passam de riqueza *potencial*. Assim como conhecimento não significa poder, mas apenas um poder *potencial*, os recursos naturais só se tornam riquezas quando convertidos.

Antes de analisar como os recursos naturais podem ser convertidos pelas nações que têm a sorte de tê-los, mas ainda assim são relativamente pobres – países como Índia, México, Argentina e Brasil –, precisamos reconhecer que existem nações que não têm tanta sorte, mas que estão se tornando ricas – Japão, Alemanha Ocidental e Porto Rico,[10] por exemplo. O progresso desses países se deve à *Atitude Mental Positiva* de seus governos e seus povos, seu conhecimento e *know-how* em manufatura, financiamento, marketing e exportações. Todas elas estão usando um sistema de sucesso. E todas continuarão a progredir.

De qualquer forma, não é difícil ver que, nos Estados Unidos ou em qualquer país rico em recursos naturais, podem-se criar abundantes riquezas para as massas de pessoas se seus recursos naturais forem convertidos em riqueza por meio de um *Sistema de sucesso Infalível*, se:

1. Todas as matérias-primas vierem do solo de dentro das fronteiras da nação.

---

10. Japão e Alemanha já são ricos.

2. Os produtos forem criados por mão de obra nacional.
3. O trabalho, os materiais e outras despesas forem pagos em moeda nacional.
4. Existir um bom sistema de crédito em vigor, que beneficie as empresas, a indústria e os consumidores.
5. Um governo forte garantir o cumprimento das suas leis para preservar a liberdade das empresas privadas e proteger a vida e os direitos de propriedade de todos os indivíduos igualitariamente.
6. O governo, cuja força deve coibir o ataque de qualquer nação hostil, esforçar-se para evitar a guerra.
7. A atitude do seu povo for positiva e desenvolver o senso de realização pessoal, que gere o sentimento de alegria no trabalho e o desejo de fazer do país e do mundo um lugar melhor para viver.

DOAR PARA GANHAR

As riquezas tangíveis dos Estados Unidos aumentaram quando estoques de comida e bens manufaturados de todos os tipos, inclusive suprimentos de guerra, foram enviados para ajudar nações necessitadas ao redor do mundo. Tudo isso significou mais fábricas, mais maquinário, mais produtos, mais empregos, mais casas e mais renda tributária dentro do país. Embora em muitos casos os alimentos e bens manufaturados nunca serão pagos (pois foram enviados para ajudar o povo a se ajudar), ainda assim produziu-se riqueza tangível em território nacional ao enviá-los para o exterior. E, ainda mais importante, fortalecemos nossos aliados e amigos, que, se necessário, darão suas vidas por sua liberdade e pela nossa, pois, com a nossa ajuda, agora têm condições de se salvarem. Noruega, Itália, Grécia, Alemanha Ocidental e Japão são alguns poucos exemplos notáveis.

Além disso, os Estados Unidos e seu povo tiveram a coragem de ajudar outras nações a se ajudarem compartilhando os ingredientes do *Sistema de sucesso Infalível*. A *inspiração para agir* foi levada a essas nações por missionários de diversas igrejas, médicos, enfermeiras, cientistas, professores e empresários, que também ofereceram *conhecimento* e *know-how* à medida que essas nações eram capazes e estavam dispostas a absorvê-los. Concedemos crédito e empréstimos para eles, e compramos seus produtos manufaturados, para que eles também pudessem enriquecer mais rapidamente.

SALDO NEGATIVO NA BALANÇA DE PAGAMENTOS

O medo de um saldo negativo na balança de pagamentos tem feito com que países se mantenham pobres sem qualquer necessidade. Os líderes desses países poderiam aprender com as nações que enriqueceram.

Para cada problema, há uma solução satisfatória, mas deve-se tentar resolver o problema com a atitude mental correta. Se uma nação bem desenvolvida se vir diante de um saldo negativo na balança de pagamentos, pode moderar suas importações e abandonar o falso orgulho e usar temporariamente um sistema que já se provou muito eficiente para nações que o usaram com boa-fé: o uso de um plano de crédito nacional baseado em permutas, e não no padrão de ouro e prata como meio de troca. Assim, se uma nação industrializada precisa de produtos de uma nação agrícola, o plano funciona da seguinte maneira:

A nação industrializada concorda em comprar do país agrícola determinada quantia, digamos US$ 500 milhões em lã, madeira, carne e outros produtos. O país agrícola então concorda em comprar da nação industrializada uma soma equivalente em produtos manufaturados. Cada país paga pelos produtos que fabrica ou que cultiva em sua própria moeda, para o seu próprio povo. Os empresários do país agrícola pagam à agência do seu governo pelos bens manufaturados importados e, da mesma forma, o distribuidor de carnes no país industrializado paga a seu governo, ou sua agência, em sua própria moeda.

Resumindo, *a riqueza é criada por meio de uma Atitude Mental Positiva, educação, trabalho, conhecimento, know-how e caráter moral do povo, sob um governo que garanta a liberdade da iniciativa privada e respeite e proteja a vida e os direitos de propriedade de cada indivíduo. Os ingredientes importantes para sua aquisição são o pensamento, o trabalho, as matérias-primas, crédito de qualidade e impostos justos. O dinheiro, ou meio de troca, deve ter um valor reconhecido e aceito.*

COMO GANHAR A GUERRA FRIA MAIS RÁPIDO

Se quisermos ajudar as nações desfavorecidas a adquirir riqueza, podemos *inspirá-las* a usar o *conhecimento* e o *know-how* sobre como adquirir riqueza, os quais estamos dispostos a compartilhar.

A Índia empobrece por causa do aumento populacional. Motivo: mais consumidores. Os Estados Unidos enriquecem por causa do aumento populacional. Motivo: mais consumidores. A mesma fórmula para conquistar riquezas na América poderia desenvolver riqueza na Índia, se fosse empregada.

E algo mais: a Rússia e a China podem ficar ricas sem precisar conquistar outras nações ou escravizar seus povos. Elas também podem acumular muitas riquezas se as desenvolverem internamente, usando o *Sistema de sucesso Infalível*. Mas elas devem entender como a riqueza moderna é criada e aplicar os princípios necessários.

VOCÊ, O DINHEIRO E AS OPORTUNIDADES

Lembre-se de que, se todo o ouro do forte Knox fosse um mito, apenas o valor do patrimônio tangível criado pelo pensamento, trabalho e matérias-primas dos Estados Unidos já excederia muito o valor das maiores reservas de ouro e prata do mundo.

Se você entender as ideias sobre riqueza contidas neste capítulo, estará pronto para aplicar os mesmos princípios em sua própria vida.

PEQUENAS DOBRADIÇAS
QUE ABREM GRANDES PORTAS

A riqueza de uma nação depende da riqueza do seu povo. Você é parte da riqueza do seu país.

Você deve *entender* como a riqueza surge e funciona antes de poder conquistá-la. Que tal ler este capítulo novamente? Você certamente entenderá coisas que deixou passar na primeira leitura.

15

Como acender o fogo da ambição

– O que você quer dizer com *faísca?* –, perguntei.

– Bem, é algo que todo mundo tem –, disse Jack. – Para encontrá-la, você deve saber o que uma pessoa quer – o que ela precisa conseguir – e como ajudá-la a conseguir.

– A primeira coisa que você precisa fazer é ajudá-la a concretizar na mente dela uma necessidade que ela não tem. Em seguida, você lhe mostra que tem algo que atende perfeitamente aquela necessidade. E quando seu desejo se torna urgente, a *faísca* daquela pessoa foi acesa.

– O que você quer dizer quando desperta a *faísca* de alguém, você a motiva? –, perguntei.

– Sim –, respondeu Jack, que costumava vender mais de um milhão de dólares por ano. Ele é uma autoridade em como motivar homens e mulheres a ter sucesso nas vendas. Ele os ensina a acender a *faísca*.

Jack Lacy é conhecido pelo seu eficaz treinamento de vendedores em oficinas para os Clubes Nacionais de Executivos de Vendas. Ele já treinou vendedores para centenas de empresas de todo o país. Os cursos por correspondência e os discos de Jack Lacy são conhecidos em todo o mundo.

Infalível

Agora você já sabe que o ingrediente mais importante no *Sistema de sucesso Infalível* é a *inspiração para agir*. E Jack Lacy diz: "Se você quer motivar, acenda a *faísca*!". E o que Jack quer dizer com despertar a faísca é inspirar uma pessoa a agir.

DÊ-LHE UM MOTIVO PARA VIVER

Quando trabalhava para mim, Leonard Evans foi promovido de vendedor a gerente comercial. Mais tarde, tornou-se gerente regional do estado do Mississippi. Mas manteve sua casa em Dermott, no Arkansas. Parece que, quando uma pessoa afunda os pés na lama do Arkansas quando criança, por algum motivo, precisa voltar para lá. Há algo atraente no solo do Arkansas.

Embora Leonard fosse um bom gerente comercial, ele se acomodou e os negócios pararam de crescer. Era um bom negócio, e Leonard tinha uma boa renda, mas, como gerente comercial nacional, eu não estava satisfeito. De tempos em tempos, eu tentava acender a faísca para despertar inspiração em Leonard, para que ele saísse do caminho onde estava. Mas parecia que cada faísca de inspiração que o atingia logo se apagava.

Leonard estava mais do que satisfeito. Mas eu continuava tentando. É claro, houve algumas melhorias. Mas ele não estava seguindo o ritmo do crescimento do resto do país. Então certo dia recebi uma carta de Scottie, sua esposa:

Caro Sr. Stone:

Leonard sofreu um grave ataque cardíaco. Os médicos dizem que talvez ele não sobreviva. Leonard me pediu para lhe informar que está pedindo demissão.

Se sua demissão tivesse sido enviada quando ele estava em boas condições de saúde, teria sido aceita de bom grado. *Mas há algo além do dinheiro nos negócios*, e eu queria que Leonard sobrevivesse. O segredo da motivação é apelar às emoções e à razão. Então enviei uma carta cuidadosamente escrita a Leonard. Nela eu:

- Mencionei que sua demissão havia sido rejeitada – e que seu futuro estava bem diante dele.
- Sugeri que ele se comprometesse a estudar, pensar e planejar.
- Falei sobre a importância de estudar as dezessete lições do curso *AMP Ciência do Sucesso*, e lhe pedi para preencher o questionário ao final de cada lição – e que se concentrasse especialmente na primeira questão da Lição Um: "Qual é o seu grande objetivo?".
- Informei-lhe que eu iria até Dermott para vê-lo assim que ele saísse do hospital e estivesse pronto para me receber.

Minha experiência me diz que *uma forma de manter alguém vivo é dar-lhe um motivo para viver*. Na minha carta, escrevi a Leonard: "precisamos de você, precisamos muito de você; melhore logo, pois tenho grandes planos para o seu futuro".

E, de fato, Leonard sobreviveu, e melhorou rapidamente, pois tinha um motivo para viver: ele havia percebido que *há algo além de negócios e dinheiro na vida*.

Quando o visitei, ele não mais estava confinado em sua cama. Havia começado a dedicar tempo para estudar, pensar e planejar. Ele se inspirou em cinco grandes objetivos:

- Aposentar-se no dia 31 de dezembro, três anos mais tarde.
- Dobrar o volume de negócios até essa data.
- Ter um patrimônio de um milhão de dólares.

- Ser um criador de homens admiráveis, inspirando, treinando e orientando vendedores e gerentes comerciais sob sua supervisão a ganhar mais, aumentar suas rendas e acumular riqueza.
- Mas, acima de tudo, compartilhar com os outros a inspiração e sabedoria que tinha obtido ao estudar a *Bíblia* e o curso *Ciência do Sucesso*.

Ele cumpriu cada um deles. A vida das muitas pessoas que ouviram suas palestras sobre AMP (*Atitude Mental Positiva*) mudaram para melhor – vendedores, gerentes comerciais, adolescentes da escola de ensino médio, empresários em clubes de negócios, professores e membros de grupos de igrejas. Todos concordariam que Leonard Evans ajudou a fazer do mundo um lugar melhor para viver.

COMO EU O MOTIVEI

Agora vamos pensar em alguns dos fatores que motivaram Leonard Evans. São eles:

1. Na terminologia de Jack Lacy, eu "ajudei-o a materializar uma necessidade em sua mente e mostrei-lhe que eu tinha algo que atendia perfeitamente aquela necessidade". Essa foi a sugestão.
2. Havia um apelo às emoções e também à razão. Disse a Leonard que eu queria sua presença, precisava dele e tinha certeza de que seu futuro estava diante dele. Ele acreditou em mim, pois eu estava sendo sincero.
3. Enquanto estava doente, ele se recuperou rapidamente porque passou um bom tempo estudando, pensando e planejando. Ele tinha um motivo para olhar para a frente.

4. Ele tinha um caminho para seguir, pois havia estudado um curso de desenvolvimento pessoal por correspondência que o motivou a buscar grandes conquistas.
5. Ele respondeu os questionários, e cada um deles havia sido pensado para direcionar sua mente a um canal específico que desenvolveria uma *Atitude Mental Positiva*. Assim, ao responder a primeira questão, pensou em cinco grandes objetivos – cinco metas desejáveis.
6. Fortaleci as sugestões escritas com um encontro pessoal, em que ele pôde eliminar qualquer suspeita de que eu estava apenas sendo gentil com um homem em seu leito de morte. Além disso, contei a história de um amigo, Charlie Sammons, de Dallas, no Texas. Charlie havia sofrido um ataque cardíaco, mas tinha um motivo para viver. Ao se recuperar, seguiu as instruções do médico; aprendeu a usar sua mente e deixou outras pessoas fazerem o trabalho físico. Suas conquistas, que já eram notáveis antes do ataque cardíaco, foram ainda mais surpreendentes depois. O médico de Charlie diz: "Ele vai viver mais, pois o ataque cardíaco o motivou a cuidar da saúde".

DÊ-LHE A OPORTUNIDADE DE REALIZAR SEUS SONHOS

Foi Johnie Simmons quem havia contratado Leonard Evans. Ele também havia contratado Felix Goodson. Certa vez, perguntei a Felix: "Por que você acha que conseguimos contratar mais gerentes comerciais excepcionais no Arkansas do que eu qualquer outro estado?".

Ele respondeu: "Não sei sobre os outros, mas quando Johnie Simmons me entrevistou e me deu a oportunidade de ganhar em um dia de trabalho o que eu ganhava em uma semana vi uma oportunidade.

Infalível

E era tudo de que eu precisava, pois estava disposto a trabalhar. Foi assim que vi a chance de ganhar dinheiro para realizar meus sonhos".

Ele de fato trabalhou, mas de forma sistemática. Usou nosso *Sistema de sucesso Infalível* e foi promovido de vendedor a gerente comercial e, finalmente, a gerente regional da Virgínia Ocidental. Ele também ficou rico.

Quando Felix era garoto, a lama do Arkansas grudou em seus pés enquanto ele caminhava da fazenda do seu pai até a escola. Ao passar em frente à mansão branca no topo de uma colina, ele dizia a si mesmo: "Um dia, vou ser dono dessa fazenda e morar naquela mansão no topo da colina".

Pouco depois de se tornar nosso gerente regional do Arkansas, ele comprou a fazenda com a mansão no topo da colina. E seu gado puro-sangue era o melhor do estado.

Como gerente comercial, ele provou que tinha amor por seus semelhantes. Era um verdadeiro criador de homens admiráveis, e criou homens de caráter. Talvez por isso eu não tenha me surpreendido quando ele, ainda relativamente jovem, informou-me que queria se aposentar e usar seus talentos para realizar outro sonho – tornar-se líder de louvor e ajudar sua igreja. Bem, ele poderia usar suas habilidades como vendedor e empresário para ajudar sua congregação a angariar fundos e ampliar os benefícios do seu trabalho. Ele precisou de anos de estudo, mas hoje é líder de louvor. Ele está ajudando sua igreja e fazendo do mundo um lugar melhor.

Então o princípio que aprendi com Felix Goodson foi: você pode motivar outra pessoa a fazer o que você quer quando lhe dá uma oportunidade de conseguir o que ela quer.

Uma das maneiras mais fáceis e interessantes de motivar outra pessoa é por meio do *charme das narrativas* – ou seja, usando histórias de experiências reais para inspirá-la a agir –, para tocar não só suas emoções, mas também sua razão. Foi isso que tentei fazer ao longo deste livro. Será que está *rolando*?

PARA MOTIVAR, ROMANTIZE

"*Está rolando* ou *não está rolando* são expressões comuns usadas pelos grupos de adolescentes", explicou, com seu olhar de garoto, o reverendo David Wilkerson, o franzino e jovem "Pastor da Galera" do Brooklyn, em Nova York.

Uso sua história para demonstrar como posso *romantizar* de forma a condicionar sua mente a aceitar e usar estas palavras de motivação que aprendi com Napoleon Hill: *Toda adversidade traz consigo a semente de um benefício maior ou equivalente.* A história que ele me contou foi a seguinte:

"Eu pregava em um pequeno vilarejo nas montanhas da Pennsylvania – Coalport. Havia ouvido falar tanto sobre os crimes cometidos por gangues de adolescentes e sobre a dependência química entre os jovens que não conseguia mais comer ou dormir. Aquilo começou a me perturbar. E, assim, tocar aqueles garotos se tornou uma verdadeira obsessão para mim.

"Certo dia, eu estava sentado estudando e peguei uma edição da revista *Life*. Vi a foto de sete adolescentes acusados de assassinato – o assassinato de Micheal Farmer no parque High Bridge, no norte de Manhattan. Não conseguia esquecer seus rostos. Eles pareciam me perseguir. A obsessão ficou cada vez mais forte."

Então Davey, como era chamado por seus amigos mais próximos, contou-me que foi até Nova York e assistiu ao julgamento. Contou-me sobre as experiências agonizantes que sentira ao ouvir os detalhes sobre o crime hediondo cometido pelos sete garotos acusados. Contou-me

Infalível

sobre sua compaixão e como gostaria de pregar para eles. E conto aqui com suas próprias palavras, da forma como as recordo:

"Tudo que eu sentia por aqueles garotos era compaixão, apesar de tudo que havia sido dito no tribunal. Quando o juiz se levantou para suspender a seção até a tarde, fui tomado por um estranho ímpeto de levantar-me – como um daqueles auges de uma obsessão. Eu precisava falar com o juiz, que estava voltando ao seu gabinete. Os guardas estariam lá novamente. Eles não haviam me deixado falar com ele antes, e eu sabia que também não me deixariam agora.

"Então peguei minha Bíblia, para que ele soubesse que eu era um pastor, e disse: 'Juiz Davidson, Meritíssimo, o senhor atenderia ao pedido deste pastor e me concederia uma audiência, por favor?'. Ele ficou espantado, afundou-se na sua mesa e gritou: 'Tirem-no daqui agora!'.

"E de repente, o tribunal virou uma bagunça. Dois guardas se lançaram para cima de mim e me arrastaram pelo corredor central. Pelo menos 35 pessoas levantaram-se, saindo correndo do tribunal – algumas gritando: 'Peguem as câmeras, aí vem ele, peguem as câmeras!'.

"E, para minha surpresa, descobri que aquelas pessoas eram repórteres. O policial me revistou, procurando alguma arma. O juiz tinha sido ameaçado de morte, e eu não sabia disso. Pensaram que eu estava me fazendo passar por pastor e que iria matar o juiz. Ao chegar à porta, meu cabelo cobria meus olhos, e comecei a chorar. Aquilo tudo era um pesadelo. Eu tinha boas intenções, e me parecia que o mundo todo havia desabado sobre mim de uma hora para outra.

"Cheguei à porta e havia uma bateria de *flashes*, canais de TV, toda a imprensa estava lá – e todos gritavam para que eu levantasse a Bíblia se tivesse coragem. E então eu lhes disse que não teria por que ter medo, que a Palavra de Deus era a única resposta para aquela situação.

"Então, quando levantei a Bíblia, essa foi a foto que tiraram.

"Peguei um jornal. Era horrível. Aquilo não sai da minha memória. Ainda consigo ver aquela foto – os dois policiais, eu com o cabelo cobrindo os olhos e a manchete que dizia: AUTOINTITULADO PREGADOR RADICAL INTERROMPE JULGAMENTO DE ASSASSINATO!".

E então Davey me contou sobre a humilhação que sofrera quando voltou a Coalport. Seu pai pensava que ele havia sofrido um colapso nervoso. Os administradores da sua igreja sugeriram que ele tirasse férias de pelo menos duas semanas.

"Na verdade, a organização na qual eu era ordenado realizou uma reunião especial com o intuito de retirar meu ordenamento por trazer vergonha ao ministério", ele disse.

David Wilkerson voltou para Nova York, e você verá na experiência dele um exemplo destas palavras de motivação: *Toda adversidade traz consigo a semente de um benefício maior ou equivalente.*

"Quando eu estava caminhando pela rua 176", disse o jovem pastor, "após estacionar o carro, ouvi alguém me chamar: 'Oi, Dave'.

"Eu fui até lá e disse: 'Você me conhece?'.

"Ele respondeu: 'Você é o pastor que foi expulso do julgamento do assassinato de Mike Farmer. Você estava tentando fazer contato com Rul Valdrez e os garotos, não é?'

"Respondi que sim.

"E então ele disse: 'Bom, eu sou Tom, presidente da gangue Orval. Venha conhecer os nossos garotos'.

"E ele me levou até lá e me apresentou aos garotos.

"E eles disseram: 'Você é gente boa. Você é um de nós'. Eu não entendi nada até que um dos garotos disse: 'Bem, quando vimos os dois policiais arrastando você pelo tribunal, percebemos que os policiais não gostam de você. E eles não gostam da gente. Então você é um de nós'. E eles começaram a me chamar de 'pastor da gangue'."

Infalível

Foi por conta da sua grande derrota – ser fisicamente expulso do tribunal, com direito a humilhação e aparição na primeira página nos jornais – que David Wilkerson conseguiu conquistar a empatia dos líderes e dos seguidores da gangue adolescente de Nova York – garotos de quem ninguém conseguia se aproximar.

Foi assim que Dave Wilkerson *fez rolar* com jovens criminosos, prostitutas, alcoólatras e viciados – os Orvals, os Dragons, os Hell Burners, os Mau Maus, os Chaplains, os GiGis e muitos outros. Ele os inspirou a se tornarem cidadãos decentes e cumpridores da lei por meio de uma abordagem evangelizadora enérgica.

Suas técnicas proporcionam curas completas praticamente instantâneas. Seu sucesso foi tanto que muitos pastores dizem que "ele opera milagres!". Até mesmo os piores jovens alcoólatras, viciados e criminosos cruéis e brutais foram inspirados a continuar estudando, entrar para a igreja e ajudar Dave Wilkerson a cumprir sua missão de vida.

Mas o que isso significa para você?

Não significa nada se você não estiver pronto.

Não significa nada se você não conseguir associar, assimilar e usar este princípio: *Toda adversidade traz consigo a semente de um benefício maior ou equivalente.*

ACENDA O FOGO DA AMBIÇÃO COM O SISTEMA DE SUCESSO INFALÍVEL

Então você pode perguntar:
- Como posso associar, assimilar e usar o princípio *Para motivar, romantize*?
- Como motivar uma pessoa a ser mais ambiciosa quando ela não tem nenhuma ambição?
- Como inspirar alguém a agir – a superar a apatia?

- Como despertar a faísca da ambição?
- Como manter acesa a chama do entusiasmo?

Essas são perguntas que recebo com frequência dos meus familiares, professores, pastores, empresários, gerentes comerciais e jovens líderes. E minha resposta sempre é: "*Use o Sistema de sucesso Infalível*. Ele consiste em três ingredientes importantes: (1) inspiração para agir, (2) *know--how* e (3) conhecimento prático". E então, eu *romantizo*. "Por exemplo, eu dou aula todas as quartas-feiras à noite no Clube de Garotos Robert R. McCormick de Chicago. Temos um grupo de garotos adolescentes que têm algo que eles chamam de Clube Júnior de Sucesso."

Então conto à pessoa que me fez a pergunta, assim como contei a você, sobre o valor dos livros de desenvolvimento pessoal, filmes inspiradores especiais e discos de desenvolvimento pessoal. O Clube Júnior de Sucesso tem todos os livros de desenvolvimento pessoal mencionados no livro *Atitude Mental Positiva*, bem como os outros que são mencionados no livro que você está lendo agora. No começo, cada um dos garotos recebe uma cópia do livro *I Dare You*. Em uma reunião posterior, cada um é chamado para contar o que o livro fez por ele.

Na primeira reunião, dois anos atrás, eu disse: "Esse clube é de vocês. O que vocês gostariam de discutir nas próximas duas reuniões?".

"Como ir melhor na escola e como conseguir um emprego", foi a resposta. Então as duas sessões seguintes começaram e terminaram com algo que se tornou um hábito na abertura e no encerramento de nossas reuniões.

O presidente abre com a pergunta: "Como está a sua AMP?".

O grupo responde com entusiasmo: "Excelente!".

O presidente então pergunta: "Como vocês se sentem?".

A resposta animada do grupo é: "Estou saudável! Estou feliz! Estou excelente!".

Infalível

Antes do encerramento das reuniões, peço para que cada garoto se levante e diga (a) o que a reunião significou para ele, (b) que ajuda especial ele recebeu na última reunião e (c) que ação específica ele tomou com base nos princípios que aprendeu.

E, novamente, o presidente repete as mesmas perguntas que fez na abertura da reunião.

COMO IR MELHOR NA ESCOLA?

Fiquei espantado ao saber que o que mais interessava a esses garotos era como podiam melhorar na escola. Então perguntei em que disciplinas eles estavam indo mal. Embora as respostas fossem diferentes, vamos pegar a matemática como exemplo. Foi isto que eu fiz:

1. *Inspiração para agir*: eu romantizei o entusiasmo – a alegria – e a necessidade de cada disciplina. Eles souberam por que aquilo era tão importante para *eles*!

   Foram contadas histórias sobre grandes matemáticos como Arquimedes e Einstein, sendo a matemática uma ferramenta que ajuda a pensar logicamente. Falamos da possibilidade de nos comunicarmos com seres de outros planetas por meio de símbolos matemáticos. Mostrei-lhes como era fácil aprender matemática memorizando e aprendendo os princípios ou fórmulas no início de cada capítulo.

   Salientei que, se eles soubessem os princípios, poderiam resolver qualquer problema usando aqueles princípios. Na disciplina de trigonometria na faculdade, eu não entregava meus trabalhos, mas usava esse sistema e tirava notas boas em todas as provas. O propósito dos problemas matemáticos é aprender o princípio. Por que não *aprender* o princípio? Então você pode *resolver* os problemas rapidamente. Você entende exatamente o que está fazendo.

2. *Know-how* e *conhecimento*: o grupo foi questionado sobre qual professor de sua própria escola gostariam que fosse dar aulas bem ali no Clube McCormick. Eles votaram no professor que queriam. O professor tem o *conhecimento* e o *know-how* para ensinar. Ele pode não ter o *know-how* para motivar, mas isso eu poderia oferecer. Os garotos estudaram voluntariamente com o professor, com quem fiz um acordo financeiro bastante satisfatório. *Quais foram os resultados?* Em noventa dias, um dos garotos melhorou dois pontos nas notas (suas notas estavam dois pontos abaixo da média). Um aluno da sétima série tinha a capacidade de leitura de um garoto da terceira série. Em noventa dias, ele atingiu a capacidade de leitura de um garoto da quinta série e, ao final do semestre, chegou ao nível da sétima série. Hoje, na escola, ele não é o melhor da turma, mas seu professor titular diz: "Com a *Atitude Mental Positiva* de Dick, ele provavelmente estará entre os dez por cento melhores da sua turma de formatura". Muitos dos garotos estão tirando as notas mais altas do sistema da escola.

COMO CONSEGUIR UM EMPREGO

É compreensível que um garoto adolescente precise de dinheiro. Ele quer ganhar uns trocados honestos. Em certo sentido, a necessidade o motiva. No entanto, repeti o procedimento da semana anterior. E o que fiz foi o seguinte:

1. *Inspiração para agir:* romantizei a alegria do trabalho e a emoção da conquista, então discuti o livro *O homem mais rico da Babilônia* e dei a cada um deles um livro. Todos podem ficar ricos

se economizarem dez por cento do que ganham e investirem esse valor com sabedoria. Fiz acordos aqui e ali para conseguir formar um clube de investimentos.

2. *Know-how* e *conhecimento*: discutimos as diversas formas de conseguir um emprego. Cada garoto contribuiu com ideias, e eu complementei. Entre as ideias sugeridas, estavam (a) verificar os anúncios e agências de emprego, (b) ir de porta em porta em todos os negócios, (c) abrir um negócio por conta própria. Vender jornais, revistas, cartões de Natal ou produtos artesanais, ou então fazer algo e vender. Foi-lhes ensinado como abordar um empregador potencial, como sair ao ser rejeitado e outras técnicas do gênero.

3. *Instruções*: todos que queriam um emprego foram instruídos a fazer um cadastro com Tom Moore, o assistente da diretoria. Tom tinha uma lista de empresas que precisavam de menores aprendizes. Meu assistente, Art Niemann, fez um acordo com a Câmara de Comércio para buscar empregos disponíveis para todos os membros. *Quais foram os resultados?* Um garoto foi rejeitado seis vezes e depois conseguiu um emprego incrível. Todos os garotos que queriam emprego conseguiram. Posteriormente, se alguém fosse demitido por qualquer motivo, conseguia emprego por conta própria ou então ia pedir conselhos para Tom.

Então você pode ver que cidadãos honrados e decentes são construídos, não nascem assim; maus alunos podem se tornar bons alunos; e um adolescente que quer emprego pode encontrá-lo.

E você também perceberá, ao ler o Capítulo 16, que "Homens não nascem talentosos, tornam-se talentosos".

PEQUENAS DOBRADIÇAS
QUE ABREM GRANDES PORTAS

Todos os grandes homens, todos os homens de sucesso, não importa em qual campo de atividade, conhecem a magia destas palavras: *Toda adversidade traz consigo a semente de um benefício maior ou equivalente.*

16
Homens não nascem talentosos, tornam-se talentosos

Você é uma pessoa talentosa?

Seja qual for sua resposta, acredite, você é uma *pessoa potencialmente talentosa*. E você pode ser considerado verdadeiramente talentoso quando usar seus talentos adequadamente. Talvez você não acredite nisso. Então, convença-se a acreditar que você é uma pessoa *potencialmente* talentosa.

Por que não se avaliar de acordo com as definições e textos de especialistas? É simples. Tudo que você precisa fazer é escrever *Sim*, *Não* ou *?* no espaço que antecede as listas de verificação encontradas abaixo.

O que é uma pessoa talentosa? Vejamos o que os especialistas têm a dizer. Vamos começar com definições e termos que se aplicam.

INTELIGÊNCIA

O dicionário indica que inteligência é:
- Habilidade para entender e solucionar adversidades ou problemas, adaptando-se a circunstâncias novas.

    _____ Você pratica essa competência?

    _____ Você pode aprender a usar essa competência?

    _____ Você usará um dicionário para procurar todas as palavras que não entender neste capítulo?

- Conhecimento profundo em; destreza, habilidade: ter inteligência para os negócios; cumprir com inteligência uma missão.

    _____ Você usa essa habilidade?

    _____ Você pode desenvolver essa habilidade?

- Capacidade de apreender e organizar os dados de uma situação, em circunstâncias para as quais de nada servem o instinto, a aprendizagem e o hábito; capacidade de resolver problemas e empenhar-se em processos de pensamento abstrato.

    _____ Você está conseguindo fazer isso?

    _____ Você acredita que agora pode melhorar a forma como encara ou resolve seus problemas?

- Conjunto de funções psíquicas e psicofisiológicas que contribuem para o conhecimento, para a compreensão da natureza das coisas e do significado dos fatos.

    _____ Você entende a natureza das coisas e o significado dos fatos?

    _____ Você pode melhorar a sua compreensão da natureza e do significado dos fatos?

Grandes psicólogos dizem que a *inteligência* é:
- "A habilidade de um organismo se adaptar adequadamente ao seu ambiente." (T.L. Engle)[11]

    _____ Você se adapta satisfatoriamente ao seu ambiente?

    _____ Você pode aprender a se adequar melhor às pessoas, lugares, situações e coisas?

- "A habilidade que um indivíduo tem de enfrentar novas situações ou problemas." (Lester e Alice Crowe)[12]

    _____ Você geralmente enfrenta novas situações e problemas com a atitude mental correta?

    _____ Você está disposto a se ajudar a enfrentar novas situações e problemas de forma mais inteligente?

- "A habilidade de olhar para um problema e pensar em uma solução aplicando o que foi aprendido em experiências anteriores. A inteligência não é algo que se tem em maior ou menor quantidade, mas uma forma de agir. Uma pessoa demonstra inteligência quando enfrenta uma situação de maneira inteligente. É estreitamente ligada ao intelecto, que é um termo abrangente que abarca a observação, a compreensão e o pensamento... A inteligência depende do conhecimento, mas trata-se mais de usar o conhecimento do que de simplesmente tê-lo. Às vezes dizemos que uma pessoa sabe muito, mas ainda assim é estúpida, porque faz pouco uso daquilo que sabe." (Robert W. Woodworth e Mary Rose Sheehan)[13]

    _____ Você olha para um problema e pensa em uma solução aplicando o que foi aprendido em experiências anteriores?

---

11. Psychology – Principles and Application, World Book Co., 1945
12. Learning to Live with Others, D. C. Heath & Co., 1944.
13. First Course in Psychology, Henry Holt & Co., N.Y., 1951.

_____ Você tentaria reconhecer os seus problemas e pensar em uma solução aplicando aquilo que já aprendeu?

_____ Você entende o que significa "é uma maneira de agir"? Sua observação, compreensão e pensamento estão sendo combinados de maneira satisfatória?

_____ Você pode melhorar sua observação, compreensão e pensamento?

_____ Você entende a expressão *conhecimento prático* usada neste livro?

_____ Você entende o que é *know-how*?

_____ Você usa o conhecimento para tentar atingir objetivos específicos?

_____ Você entende, a partir dessa definição, que a *inteligência* é avaliada ao: fazer, aplicar, agir, observar, entender, pensar, usar, etc.?

- William H. Robert diz: "É importante ter presente a diferença entre inteligência e conhecimento ou informação. A inteligência é uma capacidade. Não é informação, mas a habilidade de obter informação. Não é uma aptidão, mas a habilidade de se tornar apto. Uma grande inteligência não é garantia, no entanto, de sucesso, seja na escola, no trabalho ou na vida de maneira geral...".[14]

_____ Você entende que a inteligência é uma capacidade – e não conhecimento, nem aptidão, mas sim a habilidade de se tornar apto?

_____ Está claro que a inteligência não é uma garantia de sucesso?

_____ Você consegue entender que a capacidade é uma habilidade latente?

---

14. *Psychology You Can Use*, Harcourt, Brace & Co., 1943.

- Joseph Tiffin e Frederick B. Knight dizem: "A inteligência, ou um comportamento inteligente, depende de (1) clareza de ideias, (2) capacidade de assimilar e memorizar, (3) imaginação fértil, (4) capacidade de reação às condições, (5) autocrítica, (6) confiança e (7) forte motivação".[15]

_____ Você acredita que pode desenvolver essas características?

_____ Você diria que tem clareza de ideias?

_____ Você tem a capacidade de assimilar e memorizar?

_____ Você tem uma imaginação fértil?

_____ A imaginação pode ser desenvolvida. Você está disposto a tentar?

_____ Você reage às condições? Digamos, por exemplo, que algo que você faz ofende alguém. Você reconheceria a ofensa e faria algo a respeito?

_____ Você procura fazer autocríticas saudáveis para o seu próprio desenvolvimento?

_____ Você tem confiança?

_____ Você tem uma forte motivação para fazer aquilo que deve ou quer fazer?

TALENTO – APTIDÃO – GÊNIO – DOM

"Uma criança talentosa é aquela cujo desempenho em certa área de prestígio de atividade humana seja extraordinário de maneira consistente ou reiterada", ouvi o Dr. Witty dizer em uma palestra que presen-

---

15. Psychology of Normal People, D. C. Heath & Co., 1940.

Infalível

ciei. O Dr. Paul Andrew Witty é professor de pedagogia e diretor da Clínica Psicopedagógica da Universidade de Northwestern.

_____ As suas realizações em alguma atividade de prestígio têm sido notáveis de maneira consistente ou reiterada em comparação a outras pessoas?

O Dicionário *Webster's* New Collegiate, publicado pela editora Webster, traz as seguintes definições:

1. TALENTOSO: dotado pela natureza com dons ou talentos; dotado.

   _____ Você acredita que todas as pessoas normais são talentosas?

2. SINÔNIMOS PARA TALENTO: *faculdade, aptidão, gênio, talento, destreza* e *inclinação* significam uma habilidade ou capacidade para determinado trabalho.

   _____ Todos têm uma habilidade ou capacidade especial para determinado trabalho. Você já encontrou a sua?

   _____ Se você ainda não encontrou a sua habilidade especial, pretende tentar encontrar?

3. APTIDÃO: significa uma predileção natural por alguma atividade e a probabilidade de sucesso nela.

   _____ Você sabe por quais atividades tem uma predileção natural?

4. GÊNIO: aptidão mental ou dom inato; talento, extraordinário poder de invenção ou criação de qualquer natureza.

   _____ Todas as pessoas normais têm aptidões mentais, dons ou talentos inatos, mas nem todas os usam. Suas conquistas já lhe provaram que você está usando os seus?

   _____ Você já tentou inventar ou criar algo?

_____ Você pretende se dedicar ao pensamento criativo e aplicar esforços em algo específico em breve?

5. TALENTO: geralmente em oposição ao gênio; normalmente, mas não invariavelmente, sugere um talento inato que depende dos esforços do seu detentor para que se desenvolva.

_____ Esforços e trabalho desenvolvem o talento. Você tem a capacidade inata de desenvolver talento. Você está se dedicando a isso?

COMENTÁRIOS DOS ESPECIALISTAS

Na palestra que mencionei anteriormente, o Dr. Witty afirmou:

"As crianças talentosas foram superiores aos seus colegas de classe de mesma idade nos quesitos de tamanho, força e saúde de forma geral."

Você pode melhorar a sua força e saúde de forma geral? _____

"O desenvolvimento pedagógico dos talentosos geralmente foi superior. Eles se saíram melhor nos quesitos de leitura e linguagem; suas piores notas foram em caligrafia e ortografia."

Você pode melhorar a sua velocidade de leitura, compreensão e interpretação semântica? _____

"O aluno talentoso geralmente se destaca no desenvolvimento e expressão da linguagem."

Essas também são habilidades aprendidas. Você pode usá-las de forma melhor? _____

"A velocidade com que as crianças talentosas aprendem é uma característica notável, que já foi discutida repetidamente por especialistas no assunto."

Você pode encontrar um método que o ajude a aumentar a velocidade com que você aprende? _____

A MOTIVAÇÃO É DE EXTREMA IMPORTÂNCIA

Após a palestra, perguntei ao Dr. Witty qual é o papel da motivação no desenvolvimento das crianças talentosas. Ele concordou que a *motivação* é de extrema importância.

O gênio é 1% de inspiração e 99% de transpiração, disse Thomas Edison. Ele também afirmou: *Os maiores ingredientes para o sucesso são a imaginação mais a ambição, com a vontade de trabalhar.*

É verdade que, com motivação, você pode desenvolver imaginação, ambição e vontade de trabalhar? _____

No livro *The Gifted Child*, o Dr. Witty revela a essência da palavra *gênio*. Ele escreve:

A palavra "gênio" é um termo errôneo que define uma criança ou um jovem. Deveria ser reservado para descrever pessoas que já fizeram suas contribuições originais de valor notável e duradouro. Pessoas com Q.I. igual ou superior a 180 e que ainda estão em fase de desenvolvimento são consideradas "gênios potenciais", e deve-se dar-lhes tempo para que provem se têm o esforço, a perseverança, a iniciativa e a originalidade necessários para lhes garantir o título de "gênios".

A inspiração para agir desenvolve o esforço, a perseverança e a iniciativa. Ela desperta a imaginação para buscar a originalidade.

Você já tentou fazer contribuições originais de valor notável e duradouro por meio da autoinspiração? _____

CONHEÇA UM GÊNIO POTENCIAL

Caso ainda não tenha feito, preencha todas as lacunas da lista acima. E quando você preencher, irá descobrir: *você é um gênio potencial*.

Pois, como você viu nos capítulos que já leu, e ainda verá no próximo, "O poder que transforma o curso do destino", todas as pessoas podem usar a *inspiração para agir*, o *know-how* e o *conhecimento* para despertar os poderes do seu subconsciente – poderes conhecidos e desconhecidos. Napoleon Hill certa vez me contou que Thomas Edison, ao falar sobre esses poderes, usou a expressão *forças invisíveis que surgem do nada*. Essas forças invisíveis que você pode despertar, bem como a capacidade intelectual que você herdou e a atitude mental que decide adotar, não são mensuráveis por um teste de Q.I.

E ao falar sobre testes de Q.I., o Dr. Witty afirma:

> *Se por crianças talentosas entendemos aqueles jovens que são uma promessa de criatividade elevada, é duvidoso que um teste de inteligência tradicional seja adequado para identificá-los, pois criatividade pressupõe originalidade, e a originalidade implica uma boa gestão, controle e organização de novos materiais ou experiências. Os testes de inteligência contêm materiais repetitivos. O conteúdo do teste de inteligência não contempla situações que exigem originalidade ou criatividade.*

Infalível

VOCÊ PODE AUMENTAR SEU Q.I.

Há muitos anos me dei conta de que uma coisa que os testes de Q.I. não fazem é medir a capacidade intelectual. A elaboração desses testes ignora as capacidades criativas do subconsciente.

Sabendo disso, tenho conseguido motivar pessoas a realizar grandes conquistas inspirando-as a escolher um ambiente que as faça progredir rumo aos seus objetivos e fazendo-as perceber a grandeza dos poderes que as pessoas têm quando usam suas mentes conscientes para afetar o subconsciente nos canais desejados.

Crianças adotadas de orfanatos e levadas a lares acolhedores geralmente demonstram melhoria no Q.I. O aumento não é excepcional, mas pode chegar a dez ou vinte pontos...

Isso é o que Robert Woodworth e Mary Rose Sheehan afirmam em *First Course in Psychology*. Além disso, experimentos realizados no ensino para adultos indicam que, ao aumentar o vocabulário e a capacidade de leitura, o Q.I. aumenta. Uma forma de fazer isso é *continuar lendo*. Leia no mínimo quatro bons livros por ano, uma revista mensal como a *The Reader's Digest* e seus jornais diários. Dos quatro livros, pelo menos um deve ser da área de desenvolvimento pessoal.

Você também pode fazer um curso rápido de leitura. Há muitos disponíveis, e todos são eficazes, pois você deve concentrar a atenção durante as lições; você está inspirado a agir, caso contrário não estaria fazendo o curso; e o curso lhe oferece conhecimento prático. E esse é o *Sistema de sucesso Infalível*.

Mas os testes de Q.I. têm algum valor? A resposta é sim, definitivamente. Eles mensuram a formação de um indivíduo, com base em padrões específicos.

Agora que você conhece seus poderes potenciais, vamos passar para o próximo capítulo, "O poder que transforma o curso do destino", e você verá como pode usá-lo.

PEQUENAS DOBRADIÇAS QUE ABREM GRANDES PORTAS

O seu potencial é ilimitado. Só depende de você. Aonde você quer chegar?

Lembre-se do que Thomas Edison disse: O sucesso é baseado em *imaginação mais ambição, com a vontade de trabalhar.*

17
O poder que transforma o curso do destino

"*Eureka! Eureka! Descobri, descobri*", exclamou Arquimedes de dentro da banheira.

Arquimedes foi um grande matemático e inventor da Grécia Antiga. Seu amigo, o rei, havia lhe pedido ajuda com um problema incomum. Aparentemente, o monarca havia encomendado uma nova coroa feita de ouro puro. O ourives havia recebido a quantidade exata do metal precioso. Quando a coroa foi entregue, o rei começou a se questionar se era de fato feita de ouro puro. Ele suspeitava que o ourives havia guardado um pouco do ouro para si e substituído por um metal mais barato.

O rei queria que Arquimedes verificasse a pureza da coroa, mas sem danificá-la de qualquer forma.

Então Arquimedes começou a *pensar*. Pensou sobre seu problema por muitos dias sem encontrar qualquer solução, mas seu subconsciente estava trabalhando o tempo todo. Então, certo dia, Arquimedes entrou em uma banheira que estava cheia até a borda. A água vazou, e Arquimedes ficou olhando por um momento e então gritou, exultante: "Eureka!".

Infalível

Uma resposta veio do seu subconsciente e emergiu à consciência, assim como a solução de um problema geralmente nos aparece de maneira inesperada, quando estamos relaxando, tomando banho, fazendo a barba, ouvindo música ou acordando.

Esses lampejos de inspiração acontecem na forma de imagens mentais de algo que você viu, ouviu, cheirou, provou, sentiu, experimentou ou pensou. E a imagem mental pode vir na forma de um símbolo que você pode interpretar facilmente por meio de associação de ideias. Isso é especialmente verdade quando a resposta que você está procurando vem em um sonho.

A ideia que ocorreu a Arquimedes foi de pegar três vasos idênticos, cada um contendo a mesma quantidade de água, e colocar a coroa no primeiro vaso; a quantidade de ouro que o rei havia dado ao ourives no segundo; e um volume igual de prata no terceiro – para poder observar a diferença no transbordamento de água em cada um dos vasos.

Arquimedes, assim como quem usa as palavras de motivação *Faça agora*! e parte imediatamente para a ação, correu para testar sua ideia. Seu experimento provou contundentemente que o ourives era um ladrão. Ele havia usado prata como liga e guardou a diferença da quantidade de ouro para si. A conclusão foi baseada no famoso princípio: *um corpo imerso em um fluido perde o peso equivalente ao peso do volume do fluido deslocado pelo corpo.*

Arquimedes, como muitos cientistas e inventores que conhecemos, não estava interessado em acumular riquezas ou gerir um negócio. Mas, se quisesse, poderia ter usado os mesmos métodos para fazer sua consciência e seu subconsciente trabalharem para ele – pois ele sabia usar o *poder que altera o curso do destino.*

USE O PODER QUE ALTERA O CURSO DO DESTINO

O que é esse poder que pode alterar o curso do seu destino?

É um poder que você tem. Mas, como todo poder, sua força pode ser positiva ou negativa. Pode ser usado para o bem ou para o mal. A escolha é sua. O poder que altera o curso do destino é o *pensamento*!

Como todos os poderes, ele pode ficar latente ou aparente, concentrado ou diluído, usado ou não usado. Ele cresce à medida que é usado – quanto mais você pensa, melhor você consegue pensar. Mas você deve pensar com a atitude mental correta.

Sabemos que *todo efeito tem uma causa*. E o *pensamento* é a primeira causa do sucesso em qualquer tarefa que valha a pena. Se você não pensar, não vai dar certo. Se os seus pensamentos forem baseados em premissas equivocadas, você não conseguirá obter as respostas corretas.

Arquimedes *parou para pensar* para resolver seus problemas. E Napoleon Hill *parou para pensar* para encontrar um título adequado para o seu livro.

USE A CABEÇA

Quando Napoleon Hill concluiu seu livro, tinha o título provisório de *Os treze passos rumo à riqueza*. O editor, no entanto, queria um título mais apelativo; queria um nome milionário para o livro. E ficava ligando todos os dias, pedindo um novo título. Embora Hill tivesse pensado em cerca de seiscentas possibilidades diferentes, nenhuma era boa o suficiente.

Então certo dia o editor ligou e disse: "Tenho que ter o título até amanhã. Se você não tiver nada, eu tenho. É uma rima – *Use o cabeção para ganhar um dinheirão*".

"Você vai acabar comigo", gritou Hill. "Esse título é ridículo."

Infalível

"Bem, vai ser isso, a não ser que você consiga algo melhor até amanhã de manhã", respondeu o editor.

À noite, Hill conversou com seu subconsciente. Em voz alta, ele disse: "Nós estamos juntos nessa. Você já fez muito por mim – e para mim. Mas eu preciso de um título milionário, e preciso dele nesta noite. Você consegue entender isso?". Por muitas horas, Hill pensou, e depois foi para a cama.

Perto das duas horas da manhã, ele acordou como se alguém o tivesse chacoalhado. Ao despertar, uma frase reluziu na sua mente. Ele correu até a máquina de escrever e anotou. Então pegou o telefone e ligou para o editor. "Pronto", ele gritou, "temos um título que vai vender milhões."

E ele estava certo. *Quem pensa enriquece* vendeu milhões de cópias desde aquele dia e se tornou um clássico na área de desenvolvimento pessoal.

Recentemente, Napoleon e eu fomos almoçar com o Dr. Normam Vincent Peale em Nova York. Durante a conversa, Hill comentou como *Quem pensa enriquece* havia sido nomeado, como contei aqui. O Dr. Peale, sem hesitar, respondeu:

"Você deu ao editor exatamente o que ele queria, não foi? *Usar o cabeção* é uma gíria para *pensar*, e *ganhar um dinheirão* é uma gíria para *enriquecer*.

"*Use o cabeção para ganhar um dinheirão* e *Quem pensa enriquece* são a mesma coisa."

Nessa história e em outras ao longo deste livro, você observará o uso da sugestão, da autossugestão e da sugestão automática. Verá como as reações das pessoas dependem de seus hábitos e experiências anteriores em como pensar e agir.

Todos nós temos o poder de direcionar nossos pensamentos. Quando direcionamos os pensamentos da maneira correta, podemos controlar nossas emoções – e quando controlamos nossas emoções, conseguimos neutralizar quaisquer efeitos nocivos daqueles fortes desejos internos, como os instintos, paixões e emoções que herdamos e que tantas vezes nos levam a fazer coisas que não entendemos muito bem.

Podemos nos proteger contra graves más condutas no futuro se *estabelecermos altos padrões morais invioláveis dos quais nunca abrimos mão*.

UM DESEJO PROPULSOR O FEZ AGIR ERRADO

No capítulo intitulado "O destino da carne", o sexo, o álcool, a mentira e o roubo foram listados como as quatro causas básicas de fracasso entre vendedores. Eles também são a causa do fracasso de homens, mulheres e crianças envolvidos em qualquer atividade. E quando um deles é a causa, de uma forma ou de outra, a mentira costuma estar envolvida.

Tomemos Joe como exemplo. Tenho muito orgulho dele; é um homem que obteve uma vitória definitiva contra ele mesmo. Aconteceu assim:

Joe é um dos meus vendedores que motivávamos a agir nas reuniões de vendas. Mas cometeu um ato ilícito porque ele era um produto do hábito – de um mau hábito. Ele não havia adquirido um padrão inviolável de honestidade. Ao competir em um programa de incentivos, em vez de tentar alcançar as honras dadas àqueles que as conquistam de maneira honesta, ele se sentiu motivado a tentar roubar a coroa do herói.

Em uma organização comercial competitiva – onde há um entusiasmo dinâmico, motivação constante e pressão para quebrar recordes de vendas –, quando um gerente comercial realiza uma reunião de vendas, ele apela à razão e à emoção de seus vendedores.

Na reunião que Joe participou, tracei metas bastante ousadas para a organização e para cada um de seus membros. Nesse tipo de reunião, o vendedor acredita que pode atingir a meta ousada que tracei para ele. Após a reunião, ele parte para a ação, e as metas traçadas pela organização são alcançadas, porque *o subconsciente transforma um desejo motivador em realidade quando a pessoa acredita que pode conseguir.*

Após essa reunião específica, Joe registrou mais vendas por dia do que qualquer outro representante em todos os Estados Unidos. Os números eram fenomenais. Todas as centenas de pedidos de seguros que ele trouxe foram pagos integralmente. Ao final do programa de incentivo, parecia que Joe havia ganhado todas as maiores honras e os melhores prêmios. Ele era o menino de ouro.

SEU CÓDIGO MORAL NÃO O IMPEDIU

Levei Joe a reuniões comerciais em muitos lugares do país, e ele contava em detalhes exatamente como havia conseguido obter sucesso. Suas histórias pareciam tão sinceras e convincentes que todos acreditavam. Joe foi promovido ao cargo de gerente comercial em outra região. Mas, quando chegou a época de renovar as apólices, descobrimos que, como o ourives, Joe estava roubando. Ele havia enganado a gerência. Havia roubado a coroa do herói. Mas, pior ainda, Joe havia mentido para si mesmo. E quanto mais ele mentia ao contar sobre seu suposto sucesso, mais passou a acreditar naquilo. É assim que o subconsciente funciona.

Padrões baixos não o impediram de mentir; padrões altos teriam impedido.

Em uma tentativa de ajudar Joe, exigi que ele pagasse um preço: ele devolveu todos os prêmios, foi despojado de suas honras e ficou desacreditado entre seus colegas, porque a mentira veio à tona quando os verdadeiros ganhadores foram homenageados.

Pedi a Joe que saísse da empresa até que pudesse provar que havia se encontrado. Como a esperança é uma das maiores motivações, dei-lhe a esperança de que, quando ele se encontrasse, poderia voltar para a força de vendas. Aconselhei-o a procurar um tratamento psiquiátrico profissional e me enviar um relatório com regularidade. Além disso, ele foi incentivado a procurar ajuda onde todos que precisam podem encontrar – sua igreja.

Após essa experiência, adquirimos o hábito de verificar todas as vendas após um programa de incentivos, antes de dar os prêmios. Joe parecia ser um homem de caráter, mas ainda assim suas ações eram inacreditáveis. Para ganhar reconhecimento, ele chegou a pagar o prêmio líquido devido à empresa do seu próprio bolso.

Bem, há muitos homens como Joe, cujo código moral não os freia. Eles agem mal e não conseguem explicar os motivos para tal. Mas o verdadeiro motivo é que eles não *desenvolveram altos padrões morais invioláveis dos quais nunca abririam mão.*

PADRÕES ALTOS PREVINEM O CRIME

Ali estava um problema. Era algo que me incomodava tanto que continuei buscando respostas.

Qual o motivo para tantas mentiras? Como podemos evitar que isso volte a acontecer? Como posso ajudar Joe e outras pessoas como ele? Meus pensamentos se concentravam nesse problema específico. Direcionei-os, assim como você pode direcionar seus pensamentos, fazendo perguntas para mim mesmo. As respostas vieram por causa da minha experiência em resolver problemas associando os princípios contidos nas coisas que eu aprendia e lia e relacionando-os ao problema que eu tinha em mãos, assim como a resposta de Arquimedes veio porque ele conhecia bem a matemática e as leis da física associadas.

Estudei o famoso livro de Emil Coué *O domínio de si mesmo pela autossugestão consciente*, em que o termo *autossugestão consciente* é sinônimo do termo *autossugestão* que uso neste livro.

Infalível

O Dr. Emil Coué, como você sabe, ficou mundialmente famoso pelo seu sucesso ajudando pessoas a se ajudarem a curar doenças e manter boa saúde física, moral e mental por meio de afirmações, que eu chamo de *palavras de motivação*. A mais famosa delas era: *A cada dia eu melhoro em todos os aspectos*.

Eu também conhecia seus experimentos com hipnose, em que o sujeito, hipnotizado, recebia uma faca imaginária, ouvia que um boneco era um inimigo que iria feri-lo e recebia o comando: "Acerte nele!". Mas, quando o sujeito estava prestes a esfaquear algo que acreditava ser uma pessoa com vida, com o que acreditava ser uma faca de verdade, ele parava. Seu subconsciente não o deixava cometer assassinato.

Por quê? Porque o indivíduo tinha padrões invioláveis tão arraigados no seu subconsciente que o próprio subconsciente se negava a agir em resposta a uma sugestão que estava abaixo daquele padrão. Padrões elevados previnem o crime.

Mas um indivíduo que já esfaqueou ou cometeu assassinato e que não tem pudores quando motivado nesse sentido não hesitaria em fazer em estado hipnótico algo que estaria disposto a fazer se estivesse consciente.

PADRÕES ALTOS E INVIOLÁVEIS
REPELEM SUGESTÕES MALIGNAS

Quando parei para pensar, a resposta que eu buscava apareceu claramente para mim:

1. Qual o motivo para tantas mentiras? Eis o que concluí:
   » Joe havia participado de uma reunião de vendas dinâmica e empolgante na qual o poder vivo da sugestão de que ele atingiria altas metas de vendas no programa de incentivos tocou suas emoções. E uma pessoa altamente sujeita a emoções fica particularmente suscetível às que lhe são

desejáveis. Joe ouviu e acreditou que poderia atingir metas de vendas elevadas.

» Joe não havia desenvolvido altos padrões invioláveis de honestidade dos quais não abriria mão para alcançar seu objetivo. Ele não roubava dinheiro, mas roubava a coroa do herói. Sua consciência não o impediu de mentir nos relatórios e de pagar por vendas que não fez. Porque ele havia criado o hábito da mentira, primeiramente em coisas banais, e mais tarde em questões mais sérias.

2. Como podemos evitar que isso volte a acontecer?

» Condicionando a mente dos participantes das reuniões de vendas, enfatizando a importância da honestidade e da integridade. Recomendar especificamente que usem estas palavras de motivação:

Tenha coragem de encarar a verdade.

Seja verdadeiro.

» Pautar os editoriais nos nossos boletins de forma a motivar os vendedores a desenvolver padrões altos e invioláveis de honestidade e integridade.

» Informar a todos que o trabalho será verificado, pois é sabido que os homens não fazem o que se *espera* se você não os *fiscaliza*.

3. Como posso ajudar Joe e outras pessoas como ele? Ajudei-o da seguinte forma:

» Joe foi trabalhar como assalariado, em um emprego em que não se sentiria tentado, conforme sugeri. Escrevi e o incentivei a continuar fazendo o bom trabalho que estava fazendo, como ele e seu psiquiatra me haviam dito.

» Pedi-lhe que memorizasse as palavras de motivação *Tenha coragem de encarar a verdade* e *Seja verdadeiro*. Ele deveria repeti-las diversas vezes ao dia, principalmente pela manhã e à noite, por dez dias. Então, quando se sentisse tentado a mentir ou enganar, ele imediatamente faria a coisa certa quando essas palavras de motivação despertassem do seu subconsciente e surgissem na sua mente consciente.

» Os editoriais que escrevi para motivar os leitores a desenvolverem padrões altos e invioláveis de honestidade e integridade foram enviados para ele.

» Um ano depois, quando Joe e seu psiquiatra me informaram que ele estava pronto, contratei-o novamente após uma entrevista pessoal. Disse-lhe que eu estava orgulhoso e que ele havia vencido uma batalha pessoal.

Descobrir a necessidade de desenvolver padrões altos e invioláveis dos quais não se abre mão independentemente das influências externas foi uma experiência emocionante e maravilhosa. Assim vieram outras técnicas para ajudar as pessoas, especialmente crianças e adolescentes, a se ajudarem ao longo do caminho da vida.

Para mim, essa é uma das verdadeiras riquezas da vida.

Você leu no Capítulo 12 sobre o uso da sugestão com adolescentes. Com crianças, como você deve saber, ao plantar sementes de sugestões com afirmações como "Você é um mau garoto; você nunca será bom; você nunca vai conseguir nada", as crianças reagirão sendo más, não fazendo nada de bom e nunca conseguindo nada.

Com outras, é claro, pode haver uma reação reversa. Se uma criança desenvolve o hábito de contrariar, ela poderá dizer a si mesma "Você vai ver!", pois a criança adquiriu o hábito de pensar *Eu posso* em vez de *Eu não posso*, então as sugestões negativas geralmente causam uma reação reversa.

No meu trabalho com o Clube de Garotos de Chicago e em minha associação com movimentos como o Evangelho para Adolescentes no Brooklyn e as Casas de Correção em Chicago, percebi o impacto da sugestão ao ajudar crianças ditas problemáticas. Quando uma criança dessas faz algo bom e você planta sementes de bons pensamentos, ela imediatamente responde de maneira favorável.

Deixo aqui algumas sementes de bons pensamentos: "Você está melhorando. A cada dia, você está melhor. Estou muito orgulhoso de você".

COMO DESENVOLVER O PODER QUE TRANSFORMA O CURSO DO SEU DESTINO

Agora vimos:
- O poder que o pensamento tem para transformar o curso do destino.
- A importância da sugestão, autossugestão e sugestão automática.
- A inter-relação entre mente consciente e subconsciente.

Também vimos que o poder ou processo do pensamento nos ajuda a solucionar problemas. O pensamento se aplica a uma ideia, expressa ou não, que vem à sua mente como resultado de reflexão, e a reflexão leva tempo.

O objetivo deste capítulo é estimular você a dedicar tempo a estudar, pensar e planejar diariamente e desenvolver o uso do poder que pode transformar o curso do destino. Como o Dr. Alexis Carrel diz: *Fazer do pensamento em si o objetivo do pensar é um tipo de perversão mental.* O pensamento deve ser seguido de ação.

Então você verá que, se dedicar um tempo a estudar, pensar e planejar diariamente, poderá desenvolver e usar o poder que pode transformar o curso do seu destino. Mas talvez você não saiba como.

Infalível

Então, quando ler o Capítulo 19, intitulado "Indicadores de sucesso levam ao sucesso", você descobrirá a história de George Severance e seu controle pessoal, e aprenderá a criar seu próprio controle pessoal, que certamente o ajudará a alcançar o sucesso se usado diariamente conforme as instruções. Ele o ajudará a aumentar seu poder de desenvolver a *inspiração para agir* da forma que quiser e encontrar o *conhecimento* necessário para adquirir o *know-how* em qualquer atividade que lhe interesse.

Mas, primeiro, vamos dar uma olhada nas *verdadeiras riquezas da vida*. No Capítulo 18, você lerá citações de cartas que recebi, de pessoas famosas, em resposta a esta pergunta: "Quais são as verdadeiras riquezas da vida?". E você lerá a história de um homem que acumulou essas riquezas.

PEQUENAS DOBRADIÇAS QUE ABREM GRANDES PORTAS

O pensamento é a força mais poderosa do universo.

Tenha pensamentos gentis, e você se torna gentil.
Tenha pensamentos felizes, e você se torna feliz.
Tenha pensamentos sobre o sucesso, e você se torna bem-sucedido.
Tenha bons pensamentos, e você se torna bom.
Tenha maus pensamentos, e você se torna mau.
Pense sobre doença, e você ficará doente.
Pense sobre saúde, e você será saudável.
VOCÊ SE TORNA AQUILO QUE PENSA!

18

As verdadeiras riquezas da vida

"Olá, Jack", disse uma voz na outra ponta da linha às sete e meia da manhã. Essa ligação telefônica deu início a uma cadeia de eventos que mudou a vida de Jack Stephens, um jovem empresário.

A voz era de Harold Steele, o diretor executivo de um clube de garotos de Atlanta, na Geórgia. Havia um quê de gravidade e urgência no que Harold explicava:

"Meu carro não quer pegar, Jack, e não vou conseguir chegar em um compromisso importante: prometi levar um garoto de quatro anos e a mãe dele ao hospital às oito da manhã. O garoto está em fase terminal de leucemia, e fui informado de que ele só tem poucos dias de vida. Você poderia me ajudar e levar esse garoto ao hospital hoje de manhã? A casa dele fica a algumas quadras da sua".

Às oito da manhã, a mãe do garoto estava sentada no banco do passageiro do carro de Jack. A criança estava tão fraca que ficava deitada no colo de sua mãe, enquanto seus pés repousavam na perna direita de Jack. Ao dar partida no motor, Jack olhou para o garotinho, que o estava encarando. Seus olhares se encontraram.

"Você é Deus?", o menino perguntou.

Infalível

Jack hesitou e então respondeu gentilmente: "Não, meu rapaz. Por que você está me perguntando isso?".

"Porque a mamãe disse que Deus logo viria para me buscar."

"E seis dias depois, Deus veio para buscar aquela criança", Jack me contou.

O rumo da vida de Jack mudou completamente, pois a imagem do garoto deitado com a cabeça no colo da mãe, os olhos da criança indefesa e a pergunta "Você é Deus?" não saíam da cabeça dele. Criaram uma impressão emocional profunda que o forçou a agir.

Hoje Jack Stephens se dedica integralmente a ajudar garotos de Atlanta a se tornarem cidadãos saudáveis, decentes e patriotas. Ele é diretor do Clube de Garotos Joseph B. Whitehead Memorial.

Desde que Jack me contou sua história, pensei muito a respeito, pois é a história do poder do pensamento. E todos têm isto em mãos: o poder de pensar e fazer o bem ou o mal.

"Você é Deus?"

Ninguém vai lhe fazer essa pergunta. Mas você, assim como Jack Stephens, pode sentir a necessidade de procurar as *verdadeiras riquezas da vida* como as imagina. Há muitas riquezas que você pode escolher.

QUAIS SÃO AS VERDADEIRAS RIQUEZAS DA VIDA?

Em uma reunião recente da diretoria do Clube de Garotos da América, perguntei ao general Robert E. Wood:

"Se alguém lhe perguntasse, para fins de publicação, 'Quais são as verdadeiras riquezas da vida?', qual seria a sua resposta?".

Sem hesitar, ele respondeu: "Felicidade no lar e no casamento".

Quando cheguei em casa, ocorreu-me uma ideia muito feliz: por que não fazer a mesma pergunta a outras pessoas de destaque – pessoas que tiveram a chance de escolher o que queriam para suas vidas. Então fiz essa pergunta a nomes como J. Edgar Hoover, Sra. Franklin Delano Roosevelt e o capitão Eddie Rickenbacker, que são, acredito, três das pessoas mais prestigiadas do nosso país hoje; também perguntei a governadores de diversos estados. A seguir, você vai encontrar algumas das respostas que recebi. Juntas, as ideias formam uma *verdadeira* imagem do sucesso para todos nós.

J. Edgar Hoover:
"Acredito que uma das verdadeiras riquezas da vida é saber que, ao servir à nossa nação e à humanidade, ajudamos a preservar nosso precioso patrimônio e preservar nossas liberdades sagradas."

Eleanor Roosevelt:
"Acredito que a verdadeira riqueza da vida se encontra na sensação de ter atendido as necessidades de outras pessoas."

Eddie Rickenbacker:
"Ajudar a juventude americana."

S. Ernest Vandiver
Governador do estado da Geórgia:
"Quando visitei o hospital psiquiátrico estadual da Geórgia em Milledgeville, acompanhando um amplo programa de reforma nos serviços de saúde mental, que recentemente aprovei, olhei para uma infinidade de rostos que por muitos anos não refletiam qualquer esperança; esses rostos refletiam apenas a resignação perante uma vida precária em um 'depósito de seres humanos'. Mas no dia em que vi esses rostos, eu vi esperança – um tipo de esperança ávida, ansiosa e recém-desperta. Para mim, essa foi uma das maiores riquezas da vida."

"Uma pessoa em um cargo público tem oportunidades ilimitadas de conquistar as verdadeiras riquezas da vida, talvez mais do que em qualquer outra profissão."

Michael V. DiSalle,
Governador do estado de Ohio:
"Eu era o mais velho de sete irmãos, e minha mãe e meu pai enfrentavam dificuldades para sustentar a casa. Mas naqueles dias aprendemos com eles que não importava quanto você tem, o importante é poder compartilhar com os outros."

Buford Ellington,
Governador do estado do Tennessee:
"Uma das verdadeiras riquezas da vida é um amigo. Um amigo está sempre por perto. Ele se alegra com a sua boa sorte; sofre com suas decepções; e seus problemas se tornam os problemas dele."
"Ninguém é pobre, mesmo com roupas rasgadas e sem um centavo no bolso, se puder contar com o amor e a compreensão de seus amigos leais."

John Anderson, Jr.,
Governador do estado do Kansas:
"Talvez o mais importante na vida de um homem seja ser amado e respeitado pelos seus semelhantes."

Ernest F. Hollings,
Governador do estado da Carolina do Sul:
"As verdadeiras riquezas da vida de um homem são conquistadas por meio do serviço público. Isso não necessariamente quer dizer apenas serviço político."

John Dempsey,
Governador do estado de Connecticut:
"As verdadeiras riquezas da vida são vividas ao sentir a satisfação de ter servido aos seus semelhantes. O homem que busca fazer desse o seu grande objetivo na vida certamente terá felicidade em seu casamento e em seu lar e em todas as outras coisas às quais associamos 'as verdadeiras riquezas da vida'."

Matthew E. Welsh,
Governador do estado de Indiana:
"Pessoalmente, acredito que a fé, um lar feliz e um trabalho desafiador são os fatores motivadores de uma vida feliz."

Otto Kerner,
Governador do estado de Illinois:
"Na minha opinião, a maior riqueza que alguém pode acumular na vida é a recompensa duradoura de servir aos seus semelhantes. É apenas por meio dessa atividade altruísta que conseguimos descobrir quem somos."

Elmer L. Andersen,
Governado do estado de Minnesota:
"A felicidade e o sucesso de nossos filhos."

Norman A. Erbe,
Governador do estado de Iowa:
"Para mim, entre as verdadeiras riquezas da vida estão o privilégio de trabalhar em tarefas que poderão beneficiar toda a humanidade e a satisfação de saber que ajudei na realização dessas tarefas."

Infalível

Albert D. Rosellini,
Governador do estado de Washington:
"Concordo com Aristóteles, que o aprendizado é o maior dos prazeres, e com os fundadores da nossa nação, que acreditavam na liberdade prevista em lei. A isso, podemos acrescentar saúde e ajudar os outros na nossa comunidade."

Archie Gubbrud,
Governador do estado de Dakota do Sul:
"Saúde e contentamento. Talvez essa resposta seja banal. Mas, refletindo, parecem-me ser o maior desejo em termos de anseios físicos e mentais."

J. Millard Tawes,
Governador do estado de Maryland:
"Na minha humilde opinião, eu diria o seguinte: Deus no paraíso; a Constituição dos Estados Unidos; e a grandeza da Mãe Natureza."

Farris Bryant,
Governador do estado da Flórida:
"Saber que fiz minha parte é uma das verdadeiras riquezas da vida."

Elbert N. Carvel,
Governador do estado de Delaware:
"1. Boa saúde física e mental.
2. A oportunidade e o desejo de acumular conhecimento a partir de uma fonte ampla de sabedoria.
3. O pleno uso de nossos talentos para o bem de toda a humanidade."

Richard J. Hughes,
Governador do estado de Nova Jersey:
"Para mim, as verdadeiras riquezas da vida são uma família feliz e próxima, amigos verdadeiros e uma fé intensa e duradoura. Quanto mais um homem for abençoado dessa forma e tiver consciência dessas bênçãos, maior será a riqueza de sua vida cotidiana."

Jack R. Gage
Governador do estado de Wyoming:
"Entre as riquezas da vida, saúde tem que vir em primeiro lugar, em seguida o privilégio de trabalhar em algo de que você goste, que, trabalhando duro, irá possibilitar que você aproveite seu tempo de diversão e lazer. Por outro lado, sem trabalho duro, nada mais é divertido."

F. Ray Keyser Jr.
Governador do estado de Vermont:
"Só pode haver uma resposta, a motivação de buscar e aproveitar a paz eterna dos princípios da felicidade."
"Quais são as verdadeiras riquezas da vida?", perguntei a Stanley, meu barbeiro no Hotel The Orrington, em Evanston, Illinois. Stanley pensou por um bom tempo. E o que ele disse foi:
"União... bondade... busca... e a alegria de encontrar".
Qual seria a sua resposta?

AS BELAS ARTES E AS VERDADEIRAS RIQUEZAS DA VIDA

Entre as *verdadeiras riquezas da vida* estão aquelas que apelam à imaginação e ao senso de beleza: pintura, desenho, escultura, arquitetura, poesia, música, dança, teatro e similares. Todas entram no domínio das belas artes. E, para muitas pessoas, são elas que fazem a vida valer a pena. Elas proporcionam relaxamento, contentamento e alegria, estimulam o pensamento criativo e motivam pessoas de todas as idades, em todas as fases da vida.

Foi o amor pela música que motivou uma garotinha de rabo de cavalo, que não tinha dinheiro para ir para o Acampamento Nacional de Música, em Interlochen, a fazer tanto por tantas pessoas que, por fim, conseguiu chegar aonde queria. Ela compartilhava parte do seu tempo e do seu talento que fizeram os sonhos de um grande homem e de milhares de crianças se tornarem realidade. E é isto que ela diz:

"Quando eu andava de rabo de cabalo e apitava um saxofone tenor na banda da escola em uma cidadezinha de Missouri, meu maior sonho, como o de milhares de outros pequenos músicos dos Estados Unidos, era passar um verão naquele lugar fabuloso no norte do Michigan, que eu conhecia apenas pelo nome de Interlochen.

"Para nós, naquela época, Interlochen era uma palavra mágica, um acampamento de verão aonde as crianças que gostavam de música podiam ir e tocar o quanto quisessem. E, para a maioria de nós, era algo fora de alcance, um sonho de criança besta que, naqueles anos da Depressão, no fundo sabíamos que nunca poderíamos realizar."

Então veio Norma Lee Browning, uma escritora convidada pelo jornal *Chicago Tribune*. Certo dia, ela e o marido, Russell Ogg, estavam jantando na minha casa. Ela leu para nós partes do manuscrito do seu novo livro sobre Joseph E. Maddy e Interlochen. Nenhum título havia sido selecionado ainda, e o manuscrito não havia sido editado. Enquanto lia, ela interrompia a leitura com comentários à medida que as ideias vinham à sua mente. Em certo momento, ela disse: *"A vida tem uma forma de compensar as decepções e conectar uma série de eventos inesperados, assim como em um reluzente colar de pérolas".*

Então ela continuou a ler. Uma história no manuscrito era sobre seus sentimentos quando perdeu a chance de ganhar uma bolsa de estudos para ir para o Acampamento Nacional de Música em Interlochen. O trecho dizia:

"Durante meu primeiro ano na escola de ensino médio – 1932 –, aconteceu algo que me abalou. Uma garotinha chamada Eleanor Cisco, que estava em uma série anterior à minha na escola e tocava clarinete, foi escolhida para ir a Interlochen.

"Eleanor era a clarinetista titular na nossa banda e na orquestra da escola. O irmão dela tocava cornetim, e sua mãe era uma grande pianista e maestra da orquestra na nossa igreja. Eu me sentia feliz por Eleanor, mas, secretamente, estava triste por não ter sido escolhida para ir a Interlochen. Sentia que era tão boa no saxofone quanto ela era no clarinete. Meu professor de música me explicou alguns fatos sobre a vida – e sobre música. Acho que foi a primeira vez em que me dei conta de que, no mundo da boa música, o saxofone não é exatamente um instrumento indispensável. Além disso, Eleanor tocava piano tão bem quanto tocava clarinete; ela ganhou uma bolsa de estudos para Interlochen. E havia pouca esperança de que eu, como saxofonista, pudesse um dia ganhar uma bolsa de estudos.

"Eleanor voltou de Interlochen com relatos cheios de elogios sobre o Acampamento Nacional de Música, deixando todo mundo cheio de inveja. Todos havíamos ouvido falar sobre o acampamento, mas era a primeira vez que alguém da nossa cidade ia para lá. Embora eu soubesse que não tinha chances de ir um dia para Interlochen, essa experiência causou uma forte impressão em mim e talvez tenha sido um fator motivador para o meu futuro.

"E o motivo é o seguinte: por causa do meu amor pela música, por causa daquela única palavra *Interlochen* – um lugar que eu nunca tinha visto e sobre o qual não sabia nada, mas que causava uma impressão tão profunda em mim – e por eu saber que não era boa o suficiente para ir lá, secretamente teimei e decidi que algum dia eu *seria* boa o suficiente para ir. Apesar das insinuações negativas sobre o meu saxofone, eu praticava cada vez mais. Decidi que seria musicista. Comecei a guardar dinheiro para ir para a faculdade – *estudar música*."

Novamente, ela parou de ler e disse:

"Mas, antes de terminar a escola de ensino médio, minha professora de música me disse que eu escrevia poesias muito melhor do que tocava saxofone, e me aconselhou, sabiamente, a estudar jornalismo. E foi o que fiz".

Norma Lee Browning terminou a faculdade, casou-se com seu colega de turma Russel Ogg (hoje um renomado fotógrafo), e os dois se estabeleceram em Nova York e se definem como uma equipe de escritora e fotógrafo.

"No verão de 1941", disse Norma Lee, "Russ e eu estávamos passando pelo norte do Michigan em uma missão para a *Reader's Digest*. De repente, surgiu diante de nós uma placa na estrada que despertou memórias confusas. Ela dizia:

Interlochen
Acampamento Nacional de Música
Vire à esquerda

"Tomada de repente pela nostalgia, exclamei: 'Preciso conhecer esse lugar. Preciso ver se é tão lindo quanto eu sonhava'."

Era tudo que ela sonhava quando era uma garotinha, e muito mais. Ela o descreve lindamente em seu novo livro.

Hoje a série de eventos inesperados completou seu ciclo. Ironicamente, a garota cuja família era pobre demais para mandá-la para Interlochen e cujo saxofone tenor não era bom o suficiente para merecer uma bolsa de estudos foi uma das primeiras convidadas para fazer parte da nova Faculdade de Belas Artes de Interlochen. Ela não é professora de música, mas ensina escrita criativa para os talentosos jovens do lugar.

Por meio de sua influência como escritora, Norma Lee Browning fez mais pela Academia de Belas Artes de Interlochen do que qualquer outra pessoa, exceto o Dr. Maddy. Ela angariou centenas de milhares de dólares para ajudar a construir e apoiar essa escola de crianças talentosas.

Foi Norma Lee Browning que me fez conhecer uma das verdadeiras riquezas da vida – conhecer e me tornar amigo próximo de um dos homens mais incríveis da América, o Dr. Joseph E. Maddy.

ELE COMPARTILHA O AMOR PELA MÚSICA E ENCONTRA VERDADEIRAS RIQUEZAS

Já aconteceu com você de conhecer alguém pela primeira vez e sentir imediatamente que seria um privilégio tê-lo como amigo próximo? Foi assim que me senti com o Dr. Joseph Maddy quando o conheci e é assim que me sinto agora que o conheço bem. Ele é um homem de caráter com uma *Atitude Mental Positiva*, um homem de ação que sabe o que quer e corre atrás – e consegue.

Fay, sua esposa, é um símbolo de tudo que uma boa esposa ou uma boa mãe deveriam ser. A música, sua esposa Fay e um desejo motivador de preparar grandes músicos nos Estados Unidos – e compartilhar parte do seu amor pela música com toda a humanidade – constantemente motivam esse homem a obter conquistas cada vez maiores. Dr. Maddy adora conversar, e todos que o conhecem adoram ouvi-lo, pois ele conta inúmeras histórias de grandes músicos da nossa época.

Em seu novo livro, Norma Lee Browning mostra como Dr. Maddy compartilha o amor pela música e encontra verdadeiras riquezas, mas aqui eu gostaria de compartilhar com você um pouco de sua filosofia e de suas atividades da forma como ele as relatou para mim. Acredito que você conseguirá perceber o *Sistema de sucesso Infalível* dele: *inspiração para agir, know-how* e *conhecimento prático*. A seguir, você encontra algumas notas das muitas que tomei enquanto o ouvia:

"Meu propósito na vida tem sido fazer com que a música faça parte do nosso sistema educacional".

"Minhas crenças são baseadas na experiência."

"A motivação é o principal requisito para ensinar música. Se tivermos a motivação correta, teremos sucesso. Se não tivermos, iremos fracassar."

"O sistema de experimentação que desenvolvemos em Interlochen, tão conhecido no mundo da música, é o maior motivador que há para inspirar estudantes de música a se superarem, porque cada um deles tem a oportunidade de ser reconhecido pelo seu trabalho em um ambiente competitivo."

"O motivo que me levou a entrar na área da educação musical é um tanto difícil de explicar. Eu só queria ensinar. Meu pai e minha mãe eram professores na escola. Sinto que eu tinha jeito para ensinar. E outra coisa que me levou a entrar para a área de educação musical foi esse desejo de tocar todos os instrumentos musicais que já vi."

Certa vez perguntei a Joe, como seus amigos o chamam: "Qual é a diferença entre a técnica de ensinar desenvolvida por você e a técnica usada na Alemanha e em outros países europeus?".

"O método europeu é um método mecânico", ele respondeu. "Gastam-se muitas horas de puro tédio para dominar completamente o trabalho com o próprio instrumento. Cada pessoa é ensinada individualmente – não em grupo.

"Eu uso o método da motivação. Primeiro, tento inspirar os alunos na sala com o amor e o gosto pela própria música. Então, toca-se uma música popular das quais os alunos tiram as notas em seus próprios instrumentos.

"Todos já tiveram a experiência de ouvir uma música ou melodia popular e, na manhã seguinte, ver-se cantarolando a canção. Meus alunos simplesmente convertem a melodia que está em suas mentes no som de seus instrumentos.

"Uma expressão comum que explica isso é 'tocar de ouvido'.

"Os alunos se sentem motivados porque é divertido. Então é uma maneira muito simples de motivá-los a aperfeiçoar suas técnicas."

Foi assim que Dr. Maddy desenvolveu aquilo que é conhecido como método do "Professor Universal", a técnica de ensino básica nos Estados Unidos. Alunos em grandes turmas, com todos os tipos de instrumentos, aprendendo ao mesmo tempo. Todos os membros do grupo são mantidos ocupados. Milhares e milhares de jovens tocam instrumentos musicais hoje, e tocam bem, porque aprenderam por meio de um sistema motivacional, e não pelo chamado método mecânico.

Dr. Maddy diz: "A minha contribuição, em colaboração com o Dr. T. P. Geddings, é a coisa mais importante que já fiz, pois possibilitei que tivéssemos orquestras sinfônicas em todas as cidadezinhas dos Estados Unidos, e que se ensinassem todos os instrumentos em escolas de qualquer porte.

"Na Europa eles ainda treinam solistas. Aqui treinamos a orquestra e temos 1.400 orquestras sinfônicas, o que significa 80% de todas as orquestras sinfônicas do mundo. É assim que treinamos no Acampamento Nacional de Música em Interlochen e é assim que fazemos na Universidade também."

O Dr. Joseph E. Maddy é a pessoa a quem me refiro para encerrar o último capítulo que trata das verdadeiras riquezas da vida, pois ele usa sua energia para pensar e fazer o bem: encontrou felicidade no casamento e no lar, presta um serviço à nossa nação e à humanidade, atende as necessidades de outras pessoas, ajuda a desenvolver o caráter da juventude americana, inspira esperança, compartilha com os outros e é fortalecido pela amizade de muitos amigos fiéis, é amado e respeitado por seus semelhantes, tem um trabalho desafiador que adora, obteve sucesso em uma atividade verdadeiramente altruísta, encontra a felicidade no sucesso de suas crianças, emociona-se ao aprender algo novo, tem boa saúde e contentamento, sem permitir que o contentamento o impeça de continuar progredindo. Resumindo, Dr. Maddy conquistou muitas das verdadeiras riquezas da vida.

Há quem tenha grandes objetivos, mas falhe. Porque nem começa, ou então desiste logo no início. Talvez até siga adiante um pouco – mas não vai até o final da estrada. E, no entanto, para chegar ao seu destino, seja ele qual for, é necessário ir até o fim.

Não há nada que possa impedi-lo, pois você é abençoado com a liberdade da escolha em uma terra de oportunidades ilimitadas, sob um governo que disponibiliza as verdadeiras riquezas da vida para quem as procura. Para lembrar-lhe dessas riquezas, veja o que o grande cidadão americano Herbert Hoover tem a dizer:

> Em nosso sistema exclusivo na América, demos mais oportunidades a meninos e meninas do que qualquer outro governo. Mas, acima de tudo, nós, mais do que a maioria dos outros países, respeitamos os direitos individuais e a dignidade pessoal de nossos cidadãos.
> A notável distinção espiritual da nossa filosofia em relação às outras (comunismo) é a compaixão. É a expressão mais nobre que um homem pode ter.
> Acredito não só que a fé religiosa irá vencer, mas também que ela é vital para aquilo que a humanidade irá se tornar.
> Partindo de sua fé religiosa, os Pais Fundadores anunciaram o direito mais fundamental do progresso humano desde o Sermão da Montanha, ao dizerem que o homem recebeu do Criador certos

direitos inalienáveis e que esses direitos deveriam ser protegidos contra a usurpação de outros por meio da lei e da justiça.

Uma das riquezas da vida americana é a vasta reserva de liderança nas pessoas.

Ela (a liberdade) é algo do espírito. Os homens precisam ser livres para louvar, pensar, ter opiniões, falar sem medo. Eles devem ser livres para enfrentar o que está errado e ir contra a opressão com a certeza de que terão justiça. A liberdade prega que a mente e o espírito dos homens só podem ser livres se puderem ser livres para moldar suas próprias vidas, desenvolverem seus próprios talentos para ganhar a vida, economizar, adquirir propriedades e assim garantir sua velhice e prover sua família.

Certamente é verdadeiro que os objetivos da sociedade organizada são garantir a justiça, a liberdade, o respeito pela dignidade humana e a melhoria e segurança na vida.

E é apropriado que este capítulo se encerre com outra declaração de Herbert Hoover:

> Poderia eu dizer que já há algum código de ética antigo e confiável? Há os Dez Mandamentos, o Sermão da Montanha e as regras do jogo que aprendemos com nossas mães. Será que uma nação pode viver se esses não forem os guias da vida pública? Pense bem.[16]

E, após "pensar bem", você estará pronto para o próximo capítulo: "Indicadores de sucesso levam ao sucesso".

---

16. Addresses Upon the American Road, Stanford University Press, Stanford, Califórnia.

Infalível

PEQUENAS DOBRADIÇAS
QUE ABREM GRANDES PORTAS

O que a expressão "verdadeiras riquezas da vida" significa para você? Amadureça seus pensamentos respondendo à pergunta no espaço abaixo. Você poderá se surpreender com o modo como sua mente começará a criar.

PARTE V
E A BUSCA TERMINA

19

Indicadores de sucesso levam ao sucesso

Não tem como dar errado!

Repito: não tem como dar errado – se você *seguir as instruções* destacadas neste capítulo. Você saberá:

- O que é um *indicador de sucesso*.
- Como criar um.
- Como usar seu próprio indicador.
- Por que o *indicador de sucesso* conduz ao sucesso.

E quando usar o seu *indicador de sucesso*, você irá se motivar a sonhar grande, eliminar maus hábitos e criar bons hábitos, quitar dívidas, economizar dinheiro, conquistar patrimônio, ter saúde, felicidade... e encontrar muitas das verdadeiras riquezas da vida. Eu garanto!

Então prove, você pode pensar.

Posso provar se você fizer apenas uma coisa por mim. Crie o seu *indicador de sucesso* e use-o diariamente, como descrito mais adiante neste capítulo. Então você terá provas concretas; começará a notar grandes mudanças em você. Tente. Não há nada a perder e muito a ganhar. Mas você tem muito a perder se, vencido pela inércia ou pela preguiça, não chegar nem a tentar. Então você nunca saberá o que perdeu.

Os princípios que norteiam o *indicador de sucesso* já beneficiaram milhares de pessoas que os utilizaram – estadistas famosos, filósofos, membros do clero, pessoas de todos os meios.

Mas primeiro vamos ler uma carta de Edward R. Dewey sobre os *Primeiros Indícios*, mencionados no Capítulo 11, pois ela também terá um grande impacto na sua vida.

PRIMEIROS INDÍCIOS

Você precisa saber o que o futuro reserva para os seus negócios? Há muitas maneiras de fazer isso. Uma das maneiras é por meio do uso dos *Primeiros Indícios*.

Um *primeiro indício* é algo que acontece antes de qualquer outra coisa. Uma nuvem escura poderia ser um primeiro indício de uma chuva. Folhas caindo das árvores dão um primeiro indício de que o inverno está chegando. Coelhos de pelúcia por todas as partes são um dos primeiros indícios de que a Páscoa se aproxima. Em todos os exemplos, o indício vem antes (*pistas*) do evento em que você está interessado.

Alguns números da empresa tendem a subir ou descer antes de outros números. Quer dizer, eles tendem a atingir um máximo antes de cair (ou atingir um mínimo antes de começar a subir), antes que a empresa, de maneira geral, vá na mesma direção.

"Novos pedidos de bens duráveis" é um dos primeiros indícios mais conhecidos. Os pedidos diminuem, em seguida a produção cai; logo vêm as demissões, corte de despesas, depois o movimento das lojas varejistas cai; os lojistas diminuem os pedidos, etc., etc.

Outros primeiros indícios são "Horas trabalhadas na manufatura", "Número de novas empresas", "Preços das ações", "Contratos de construção", "Falências".

As "falências" (seja o *número* de falências, seja, ainda melhor, o passivo gerado nas falências) operam de forma reversa. Ou seja, quando aumentam as falências, é um mau sinal, e quando elas diminuem, é um bom sinal.

O INDICADOR GEISINGER

Há combinações especiais e inter-relações entre dados financeiros de empresas que oferecem um aviso melhor (e antecipado) dos movimentos dos negócios do que os indícios mais conhecidos. Uma dessas combinações especiais foi descoberta por Robert Geisinger, de Troy, em Ohio. Ficou conhecida como o indicador Geisinger. Geralmente acontece nove meses antes dos movimentos na produção industrial (produção industrial é uma medida do volume de coisas produzidas pela indústria).

Há apenas três pessoas em todo o mundo que sabem como o indicador Geisinger é formado: Bob Geisinger, a Sra. Gertrude Shirk, editora da *Cycles Magazine*,[17] e eu.

A *Cycles Magazine* publica o indicador Geisinger todos os meses para ajudar seus assinantes a preverem o futuro dos negócios em geral (produção industrial).

---

17. Foundation for the Study of Cycles, Inc., 124 South Highland Avenue, Pittsburgh, Pa. 15206.

COMO ASSOCIAR E ASSIMILAR

Ao longo deste livro, você leu diversas vezes a expressão *associar e assimilar*. E como nem sempre o óbvio é visto, vejamos como você pode associar, assimilar e usar os princípios da carta de Ned Dewey sobre os Primeiros Indícios.

Você quer saber o que o futuro reserva para os seus negócios, a sua família e para a sua vida social ou pessoal (física, mental e moral)?

Lembre-se: *primeiro indício* é qualquer coisa que acontece antes de outra coisa. *Em todos os casos, o indício vem antes (indicativo) do evento em que você está interessado.*

Mas você precisa ter *conhecimento* e *know-how* para interpretar o significado daquilo que está observando. Se você não sabe que nuvens pesadas precedem a chuva, que o cair das folhas precede o inverno, ou que a venda de coelhos de brinquedo precede a Páscoa, esses primeiros indícios não terão nenhum significado para você. Da mesma forma, se você não sabe que o homem é uma criatura de hábitos, não perceberá que o ato de roubar o torna ladrão, que contar mentiras o torna mentiroso, que falar a verdade o torna verdadeiro.

Como é fácil determinar quais características demonstram indicações de um bom caráter e quais não, você tem a habilidade de escolher quais o ajudarão a se tornar a pessoa que quer ser. Mas, para reagir diante de um primeiro indício, você precisa pensar.

Você verá algo acontecer. E então, a partir da sua experiência e por meio do raciocínio indutivo, poderá inferir, de maneira lógica, qual será o resultado. Mas, se você não tiver experiência, talvez sua lógica se baseie em premissas equivocadas, e, portanto, suas conclusões serão erradas. É por isso que vale a pena ouvir a voz da experiência até ter construído sua própria experiência.

Você poderá ver determinado resultado. Por meio da experiência e do raciocínio dedutivo, pode descobrir a causa. E, quando conhecer a causa, passará a saber qual é o primeiro indício para o mesmo resultado no futuro.

Um exemplo simples: se um dos meus novos vendedores tiver a atitude mental correta, esse é um primeiro indício. Se ele aprender o conteúdo teórico ensinado na nossa escola de vendas, esse é um primeiro indício. Se aplicar os princípios que aprendeu, esse também é um primeiro indício. Todos eles indicam que ele será um sucesso como vendedor da minha empresa.

Quando conheci George Severance, percebi que era um homem de caráter, tinha uma *Atitude Mental Positiva*, amava o seu trabalho e era um especialista. A partir desses fatos, pude inferir logicamente que ele era bem-sucedido na área que havia escolhido.

SEU CONTROLE DE TEMPO PESSOAL E O *SISTEMA DE SUCESSO INFALÍVEL*

Talvez você lembre que no Capítulo 3 relatei como George Severance desenvolveu um *Controle de Tempo Pessoal* e se tornou mestre de si mesmo.

Agora, pela primeira vez, o segredo para o sucesso de George será revelado:

"O grande problema na vida de praticamente todo mundo", George me disse, "pode ser exemplificado por um vendedor que não mantém registros da quantidade de tempo que passa de fato *vendendo* em seu horário comercial. Esses vendedores não percebem o valor monetário do *tempo de vendas* que desperdiçam. Na verdade, eles nem sabem aonde estão indo na vida, ou como chegar aonde acham que querem ir – tudo isso porque não têm um controle de tempo."

"Bem, como você resolveu esse problema?", questionei.

Infalível

"Primeiramente, se você quer fazer uma melhoria na sua vida diária, precisa saber com certeza quais são os erros que estão prejudicando seu desempenho diário. Conhecer esses erros é um primeiro passo que irá conscientizá-lo sobre o autoaperfeiçoamento. É isso que meu Controle de Tempo Pessoal faz por mim. Ele me ajuda a *realizar mais coisas – trabalhando menos*."

– E por quê? –, perguntei.

– Bem, você precisa ter objetivos específicos na vida. O presidente Wilson costumava dizer: "*Sem visão, o povo perece*". E sem uma direção, você não sabe aonde está indo. *Você precisa ter algum propósito na vida.*

– Porque o que acontecerá amanhã depende do que estamos fazendo hoje e planejando para amanhã. É por isso que gosto de saber como estou me saindo todos os dias, para poder me preparar para o próximo.

– Mas, George, me conte –, eu disse. – Como exatamente você usa o seu Controle de Tempo Pessoal?

– Lembre que o cartão que desenvolvi para mim se encaixa perfeitamente na minha vida. Mas qualquer um pode *usar exatamente os mesmos princípios* que apliquei e criar seu próprio *Controle Pessoal*. Assim, encontrará a motivação para ser bem-sucedido em qualquer atividade que escolher. É claro, o *Controle Pessoal* deve ser usado diariamente.

– Como você pode ver, tenho este cartão: *trabalho no escritório, almoço ou jantar, reuniões, conversas aleatórias, tempo extra com entrevistas, esportes, tarefas familiares e horas extras.*

– Agora, vejamos a parte de esportes, por exemplo. Sempre fui um ávido esportista. Logo que comecei a carreira como vendedor, interessei-me por pingue-pongue e *squash*, então encontrei um clube onde havia um grupo de colegas especialistas nesses jogos. Costumávamos nos encontrar ao meio-dia, e, quando menos percebia, eu ficava jogando até as três da tarde.

– E como isso apareceu no seu *Controle de Tempo Pessoal*?

– Na linha dedicada a *Esportes*, eu escrevia '2 horas' na coluna intitulada *Tempo Desperdiçado*. Então, ao final do mês, eu fazia um cálculo. E descobri que estava gastando 25 horas jogando pingue-pongue ou *squash* durante o meu *tempo de vendas*. Logo, percebi que precisava fazer algo a respeito. Não me leve a mal. Eu ainda jogo pingue-pongue e *squash*, mas apenas nos momentos que reservei para *jogos*.

– Como o seu *Controle de Tempo Pessoal* o motivou a fazer algo para eliminar esse desperdício de *tempo de vendas?* –, perguntei.

– Bem, no cartão eu tenho campos que ficam na coluna *Precisa de melhorias – Profissional e Pessoal*. Na coluna pessoal, marquei: 'eliminar o pingue-pongue e o *squash* em horário de expediente!'. Resumi essa frase na forma de um código, então, se alguém pegar meu cartão, não perceberá quais são meus defeitos pessoais.

– *Ao preencher um novo cartão a cada dia*, qualquer intrusão desses esportes no meu *tempo de vendas* chamaria a minha atenção, e eu tomaria uma ação corretiva. Ao final do mês, eu veria todas as horas que os esportes *roubaram* do meu tempo de vendas. Isso me motivaria a fazer algo a respeito.

– Onde o total aparece no seu *Controle de Tempo Pessoal?* –, perguntei.

– Para calcular o total no final do mês, faço um cartão especial apenas mudando a palavra 'dia' para 'mês' na primeira linha da primeira página do meu *Controle de Tempo Pessoal* (ver imagem 3), e insiro a soma de todo o tempo gasto nos espaços adequados.

Infalível

CONSCIENTIZAÇÃO SOBRE O AUTOAPERFEIÇOAMENTO							
Nome _____ Dia ____ Data ____							
Total de horas desperdiçadas ____ O dia foi satisfatório socialmente Sim Não							
						Cronograma de Trabalho	
	TEMPO ÚTIL	TEMPO DESPERDIÇADO	Melhorias Necessárias		Objetivos	Objetivo	Real
1 Tarefas administrativas						Horário de Início	
2 Almoço ou jantar					Semanal		
3 Reuniões			PROFISSIONAIS	M			
4 Conversas aleatórias						Horário de saída	
1 Intervalo excedente					Mensal		
2 Esportes				M			
3 Obrigações familiares						Noite	
4 Horas extras			PESSOAIS				
					Anual	Estudo e Planejamento	
ECONOMIAS – A CHAVE PARA A INDEPENDÊNCIA				M			
Obj. ____ Real ____							
CARÁTER E TRAÇOS DE PERSONALIDADE							
POSITIVOS PARA ACENTUAR				NEGATIVOS PARA ELIMINAR			
1 _____				1 _____			
2 _____				2 _____			
3 _____				3 _____			

Imagem 3

— Que efeito isso tem sobre você? –, perguntei.

— Escrever diariamente "eliminar pingue-pongue e *squash*!" na coluna *Precisa de melhorias* obviamente afeta minha mente subconsciente. Eu queria prosperar e, com o tempo, desenvolvi o hábito de converter o tempo de vendas desperdiçado em tempo de vendas lucrativo. Também continuei praticando esportes, mas nos momentos dedicados aos jogos."

— George, seria correto concluir que alguns itens na primeira folha do seu cartão poderiam ser vistos como um *descumprimento do tempo de vendas*? Mais especificamente:

- *Conversas aleatórias* são coisas como o tempo de vendas desperdiçado ao parar para um cafezinho?
- *Entrevistas longas* significam o tempo desnecessariamente gasto com reuniões comerciais que se prolongam?

- *Tarefas familiares* se referem aos afazeres domésticos e compras para a família em horário de expediente?

— E é correto dizer que *Horas extras* significam o tempo que você poderia passar em casa com a sua família, mas que é gasto desnecessariamente após as reuniões de negócios, e que a abreviação "Obj." significa "Objetivo", e "*M*" indica milhares de dólares em seguros de vida?

— Você está absolutamente certo, disse George.

— Por que o subtítulo "*Noite*"? –, perguntei.

— Na minha área, é necessário fazer algumas ligações à noite. Com o meu Controle de Tempo Pessoal, reduzi esse trabalho para no máximo duas noites por semana, em vez de seis. Mas nessas ocasiões reduzo meu expediente durante o dia, para que eu possa ter mais tempo para a minha família, para o lazer e para o estudo. Todos esses elementos são muito importantes para uma vida verdadeiramente bem-sucedida.

Em seguida, continuei: — Na segunda página do seu cartão (Imagem 4), você lista os nomes das pessoas para quem pretende ligar. *Tempo* indica o *horário* do seu compromisso. E em "*Pres. Pot.*", você indica o tempo que de fato passou na presença do cliente potencial. Em "*Ligações Comerciais*", "*Seq*" significa ligações sequenciais. Correto?.

Infalível

LIGAÇÕES	TEMPO DE VENDAS		LIGAÇÕES VENDAS			ENTREVISTA VENDAS			RESULTADO		OUTROS			
	Tempo	Tempo presença	1º	2º	SUB	1º	2º	SUB	Tent. fech.	Apólice	SER	PROS.	CLUBE	TELEFONE	ALMOÇO

O SUCESSO DE AMANHÃ DEPENDE DO DESEMPENHO DE HOJE
CONTROLE DO TEMPO DE VENDAS

SUBSTITUIÇÕES PARA A LISTA DE CLIENTES POTENCIAIS

NOME ENDEREÇO IDADE RENDA FILHOS

1
2

Comp. noite | Tempo de viagem | Tempo vendas campo | em | Tempo vendas escritório | | N.º compromissos p/ am.

Obj. | Obj. | Obj. | Obj. | Obj.

Imagem 4

– Sim, e eu *separo ligações comerciais de entrevistas comerciais*. Muitas vezes faço ligações cujo objetivo não é vender; posso estar apenas buscando informações ou tomando providências para uma ligação comercial. Você também verá a anotação "*Tent. Fechar*". Isso me dá uma visão do número de vezes que *tentei* fechar a venda.

– Se não tentar fechar, você não vai conseguir concluir nenhuma venda.

– É claro, "*Qtdade. Apol.*" significa a quantidade de apólices de vida vendidas. O título "*Outros – Serv.*" é a abreviação de *ligações de serviço*.

– Consigo muitos clientes potenciais em ligações de serviço e listo os números em "*Pot*".

– Em *Clube*, também listo o número de negócios potenciais, pois posso aceitar um convite para jogar golfe em horário comercial se aquilo puder me render bons clientes potenciais. Isso faz parte do meu negócio.

Então perguntei: – Você lista os novos nomes em '*Substituição para lista de clientes potenciais*'?.

– Sim –, ele respondeu. – Assim como um colega que trabalha no setor madeireiro. Se você corta uma árvore, precisa plantar outra, pois, se não tiver reposições, em breve você estará fora do negócio.

– Quase 95% das vendas eu fecho na primeira ligação, porque me preparo para cada ligação na minha entrevista comercial anterior. Nunca faço mais do que três ligações para o mesmo cliente potencial, pois tenho coragem de rasgar os cartões de antigos clientes potenciais. Não quero desperdiçar meu *tempo de vendas*.

– E o que são as duas linhas de quadrados na parte inferior da segunda folha?

– São muito importantes. Você precisa ter objetivos, para conseguir ver o progresso. Como *trabalho nos cartões todos os dias*, tenho objetivos específicos para cada dia.

Quando revejo os cartões que preenchi ao longo de um mês, é como ver um filme do que de fato ocorreu. A princípio, eu sentia vergonha daquilo que via. Mas, como eu me sentia assim, fiz algo para mudar.

NÃO ESPERE NADA DAQUILO QUE VOCÊ NÃO CONTROLA

Epiteto disse que "A estrada para o inferno é pavimentada de boas intenções", pois ele conhecia os poderes de dependência dos hábitos quando formados e a dificuldade de mudá-los. George Severance também sabia disso. Assim como Frank Bettger. E Benjamim Franklin. E você também.

Eu digo, e Epiteto concordaria: a estrada para o paraíso é pavimentada de boas intenções seguidas de ações, de forma a adquirir novos e bons hábitos para substituir os velhos hábitos ruins.

Infalível

Você pode estar *inspirado a agir adequadamente* para realizar suas boas intenções, mas talvez não tenha o *conhecimento* necessário, ou pode esquecer-se de usar as *habilidades* necessárias se as tiver, e assim não conseguirá desenvolver novos padrões de hábitos.

Mas Epiteto, Franklin, Severance e Bettger sabiam o que fazer e como fazer. Cada um desenvolveu e usou seu próprio *indicador de sucesso* para realizar suas intenções todos os dias. Você, também, pode criar um *indicador de sucesso* feito especialmente para você.

O que é um *indicador de sucesso*? Para George Severance, foi seu Controle de Tempo Pessoal e o Controle de Tempo de Vendas; para Benjamin Franklin, um pequeno livro. Em sua *Autobiografia*, Franklin escreveu:

> Fiz um pequeno livro, no qual dediquei uma página para cada uma das (treze) virtudes[18]. Marquei cada página com tinta vermelha, de forma a formar sete colunas, uma para cada dia da semana, marcando cada coluna com uma letra para cada dia. Nessas colunas, tracei treze linhas vermelhas, marcando o início de cada uma com a primeira linha de uma das virtudes, em cada linha, e em sua coluna correspondente. Posso marcar, com um pequeno pontinho, todas as falhas que encontrei ao examinar o que fiz naquele dia em relação àquela virtude.

---

18. As virtudes listadas por Franklin são: temperança, silêncio, ordem, resolução ou decisão, frugabilidade ou economia, indústria ou diligência, sinceridade, justiça, moderação, limpeza, tranquilidade, castidade e humildade. (N.E)

E as páginas que Franklin desenhava tinham o seguinte aspecto:

HUMILDADE							
Imitar Jesus e Sócrates							
	D	S	T	Q	Q	S	S
T							
S	*	*				*	
O	*	*	*		*	*	*
R		*					*
F			*	*			
I			*		*		
S	*	*		*			
J		*			*		
M			*	*			*
L	*			·		*	
T			*		*		
C		*			*	*	
H							

Tabela 3

No livro *How I Raised Myself from Failure to Success in Selling*,[19] Frank Bettger contou exatamente como utilizou os princípios de Franklin. Em vez de um livro, ele usou treze cartões, que, assim como George Severance, achou mais convenientes do que um caderno. Assim como George Severance e Benjamin Franklin, ele colocou palavras de motivação na parte superior do cartão. No seu primeiro cartão – "Entusiasmo" – as palavras de motivação eram: *Ser entusiástico – agir com entusiasmo*.

Esses homens usaram seus indicadores de sucesso para diversos fins, uns dos quais era verificar suas próprias atividades diárias. Uma orga-

---

19. Como fui do fracasso ao sucesso em vendas.

nização comercial de sucesso considera obrigatório controlar o desempenho com regularidade, mas, para uma pessoa, é incomum controlar os próprios hábitos diariamente. Mas aqui está um segredo do sucesso:

Não espere nada daquilo que você não controla.

Você verá imediatamente que conseguirá honrar suas resoluções de Ano-Novo com muito mais eficiência se verificá-las pessoalmente dia a dia e seguir tentando.

Agora, antes de dar sugestões que serão úteis para você criar seu próprio *indicador de sucesso*, vamos pensar na verdadeira importância do *controle*. Você deve ter fé em si mesmo e nas outras pessoas, mas a fé não pode ser cega.

"LA FE"

"La Fe", a pintura reproduzida neste capítulo, foi criada em têmpera pelo famoso pintor espanhol José Gausachs, professor de Las Bellas Artes Dominicanas de Santo Domingo. Dê uma olhada na foto dessa pintura. O que você vê?

Eu vejo um conceito de fé – uma força tremenda que surge no mar do Caribe – forte e feminina, movendo-se para o alto na direção dos céus, encarando os homens na Terra. Os dois olhos estão fechados ou um deles está parcialmente aberto? Nem mesmo o próprio José Gausachs pode responder essa pergunta por você. Olhe para os olhos da imagem e decida por si mesmo.

A fé é aquilo em que se acredita – total confiança em alguém ou alguma coisa, mesmo alguém ou algo que pode ser alvo de suspeitas ou questionamentos. À fé cega, que mantém os dois olhos permanentemente fechados, falta discernimento e disposição para entender. Essa fé geralmente não é racional ou seletiva. Ela é a mãe da ignorância e a causa frequente da miséria e do desastre.

A fé não é fortalecida quando mantemos um olho fechado e outro parcialmente aberto – seja a fé em alguém, em uma ideia ou uma filosofia? Ela não é mais efetiva quando aqueles que você quer influenciar não têm certeza absoluta se um olho está parcialmente aberto, quando ambos parecem estar fechados?

Frequentemente lemos os lamentos angustiados de uma mãe cujo filho adolescente é acusado de roubo ou outro crime: "Ele sempre foi um bom garoto; nunca fez nada de errado antes". O que teria acontecido se essa mãe tivesse mantido um olho parcialmente aberto em vez de manter ambos fechados?

Manter um olho parcialmente aberto para controlar não significa, por si só, qualquer sinal de desconfiança. É, na verdade, uma forma de fortalecer, proteger e garantir a preservação e efetividade da fé, em todas as relações em que a fé é imperativa para a harmonia e felicidade.

Tenha fé em si mesmo e nos outros, mas não feche os olhos para a realidade. As outras pessoas não precisam saber com qualquer grau de certeza se – como os olhos da pintura "La Fe" – ambos os olhos estão fechados ou se um está parcialmente aberto. Elas, assim como você, devem tomar suas próprias decisões e agir adequadamente.

SEJA HONESTO CONSIGO MESMO

"Se você for uma pessoa honesta, ao fazer uma promessa para outra pessoa, irá honrá-la. Mas igualmente importante é *ser honesto consigo mesmo*. Então, quando fizer uma promessa para si mesmo, honre-a. E só faça uma promessa se realmente tiver intenção de cumpri-la", diz George Severance.

Infalível

AGORA É COM VOCÊ

Agora faça uma promessa solene:
 Prometo a mim mesmo que vou:
 1. Começar a criar meu próprio *indicador de sucesso* antes de me deitar esta noite.
 2. Dedicar pelo menos trinta minutos por dia, pelos próximos trinta dias, para estudar, pensar e planejar – concentrando-me

no meu autoaperfeiçoamento – para tirar o máximo do meu *indicador de sucesso*.

3. Iniciar imediatamente uma nova série de trinta dias se, a qualquer momento, eu falhar em honrar a promessa de dedicar meia hora a esse tipo de autoaperfeiçoamento.

4. Pedir orientação divina sempre que iniciar minha meia hora de autoaperfeiçoamento, e agradecer a Deus por minhas bênçãos (listá-las).

As seguintes sugestões podem ajudá-lo:

- Comece com um lápis e um pedaço de papel. Mais tarde, quando tiver desenvolvido um formato eficaz, faça cópias do material. Os cartões de George Severance são impressos, mas ele começou apenas com uma folha de papel.
- Deve haver palavras de motivação na primeira linha. Elas podem mudar regularmente, mas não mais do que uma vez por semana.
- Dê um título adequado, como "Meu *indicador de sucesso*".
- Se você achar difícil criar um modelo, pode copiar o que for aplicável dos formulários encontrados neste capítulo.
- Tenha espaços adequados para que possa marcar se atingiu um objetivo ou se houve um fracasso momentâneo.
- Talvez você prefira ter um formulário indicando seu progresso relativo.
- Indique as características positivas que você deseja adquirir. Recomendo, em vez de indicar coisas negativas, usar palavras positivas. Exemplo: se a sua fraqueza for a mentira, em vez de escrever usando a negativa "Eliminar mentiras", escreva "Ser Verdadeiro" ou "Honestidade".

- Como o fogo do entusiasmo pode se apagar se não for reabastecido, tente ler algum material de desenvolvimento pessoal pelo menos cinco minutos por dia.

Agora você deve pensar por conta própria. Só você tem o poder de direcionar seus pensamentos e controlar suas emoções. Portanto, precisa criar seus próprios formulários para que esse programa seja eficaz, pois é por meio do seu esforço que os benefícios serão colhidos.

PEQUENAS DOBRADIÇAS QUE ABREM GRANDES PORTAS

A ferramenta mais poderosa que você pode ter na busca constante pelo sucesso é um controle escrito dos seus hábitos diários. Se mantido corretamente, esse controle será um espelho de todos os seus esforços e todas as suas ações na sua vida diária. Ele lhe permitirá, com uma vitalidade incrível, *redirecionar-se*. Seguindo os princípios e exemplos deste capítulo, comece hoje mesmo a criar seu próprio *indicador de sucesso*.

20

O autor revisa seu próprio trabalho

"Uma pequena gota de tinta faz milhares, talvez milhões, de pessoas pensarem", escreveu Byron em *Don Juan*.

E foi isso que pensei quando comecei a escrever o manuscrito deste livro, cujo propósito é motivar o leitor:

1. A aprender e usar três conceitos simples e de fácil compreensão que devem ser usados por qualquer pessoa que queira obter sucesso contínuo em qualquer atividade. É aqui que se encontra a essência deste trabalho. A pessoa que usa esses três ingredientes combinados em qualquer atividade não pode falhar.
    » *Inspiração para agir*: o que o motiva a agir porque é o que você quer.
    » *Know-how*: as técnicas e habilidades específicas que geram resultados consistentes quando aplicadas. É a aplicação correta do conhecimento. O *know-how* se torna um hábito por meio da *experiência* repetitiva.
    » *Conhecimento prático*: conhecimento da atividade, serviço, produto, métodos, técnicas e habilidades às quais você se dedica especificamente.

2. Esforçar-se constantemente para continuar a estudar e, assim, expandir seus horizontes.
3. Ajudar-se a se tornar uma pessoa melhor e empenhar-se constantemente em fazer do mundo um lugar melhor para si e para os outros.
4. Aprender a desenvolver o hábito de reconhecer, entender, associar, assimilar e usar os princípios de suas leituras, das pessoas que conhece e das experiências diárias.
5. Acumular riqueza financeira e sucesso profissional, ainda que o *foco sejam as verdadeiras riquezas da vida*.
6. Preservar e proteger sua herança como cidadão.
7. Sentir, viver e agir com uma filosofia dinâmica resultante da ação de se empenhar em viver de acordo com os preceitos dos ensinamentos religiosos da própria igreja.
8. Procurar e encontrar as verdadeiras riquezas da vida.

Repito: *Uma pequena gota de tinta faz milhares, talvez milhões, de pessoas pensarem*. E um livro de desenvolvimento pessoal já mudou a vida de milhares e milhares de pessoas para melhor. Basta pensar no exemplo de Fuller Duke.

MINHA MENTE ESTÁ ABERTA

Fuller era um vendedor de sucesso e se tornou um gerente comercial de sucesso na minha empresa antes de ficar cego. Como todos os nossos representantes, ele recebia livros de desenvolvimento pessoal e discos como o "The System That Never Fails"[20]. Fuller é feliz no casamento e é pai de seis bons garotos e cinco meninas incríveis.

---

20. Businessmen's Record Club, 415 N. Dearborn St., Chicago 10, Ill.

E mais do que isso: Fuller Duke tem uma fé religiosa ativa, o que foi provado muitas vezes anteriormente e foi novamente demonstrado nesta carta que ele me enviou recentemente, cujo trecho trago a seguir:

"Fui atendido por um dos melhores oftalmologistas do país. Ele fez de tudo para preservar minha visão e ficou muito chateado ao final do exame, ao perceber que qualquer cirurgia ou tratamento adicionais seriam inúteis.

"Agora pensando sobre o meu futuro: tendo em mente que toda adversidade traz consigo a semente de um benefício maior ou equivalente, e, usando o 'Sistema infalível', senti-me *inspirado a agir* e estabeleci que iria adquirir o *know-how* e o *conhecimento prático* necessários para comprovar que as limitações, se houver, são só minhas. Fiquei maravilhado ao descobrir que esse é apenas um pequeno desvio na minha estrada rumo ao meu objetivo final.

"Desde a última quinta-feira, venho conversando com diversos profissionais, executivos e pessoas de negócios e descobri que, com um curso de três meses, posso aprender a ler em Braile e como me deslocar sozinho – ou seja, como levar uma vida normal. Tenho pensado muito, e todos os meus pensamentos são positivos...

"Para ter certeza, não vou deixar de procurar a cura. Espero, assim como George Campbell em *Atitude Mental Positiva*, que eu também possa demonstrar minha atitude mental positiva provando que ainda sou capaz de alcançar o sucesso.

"Creio firmemente que a época dos milagres não acabou, e, se for a vontade do Todo-Poderoso, as orações da minha família e meus amigos não ficarão sem resposta.

"*Embora meus olhos estejam fechados, a minha mente está aberta!*"

A forma de manter a mente aberta é continuar estudando.

Infalível

EXPANDA SEUS HORIZONTES

"Educação é o que estamos tentando fazer em nosso estilo de vida americano para desenvolver o melhor em cada um. Estamos tentando desenvolver nas pessoas seu bem-estar intelectual, físico, moral e espiritual", disse o Dr. K. Richard Johnson, presidente da Faculdade Nacional de Educação em Evanston, Illinois.

E Paul Molloy, em seu livro engraçado, mas muito realista *And Then There Were Eight*,[21] [E então havia oito, em tradução livre] nos conta:

"... a verdadeira formação da criança não começa na escola ou na igreja; começa nos joelhos da mãe."

"... se pais e filhos se esbarrassem com mais frequência, eles estariam menos inclinados a abandonar um ao outro mais tarde."

"... eu não sei o que os especialistas em orientação infantil diriam sobre isso, mas operamos com a teoria de que uma criança inteligente o suficiente para rejeitar nabos quando há biscoitos na mesa é quase brilhante o suficiente para começar a pegar depois de si mesma."

E eu, por exemplo, prefiro recomendar o conselho do homem que tem o conhecimento e o *know-how* de criar filhos do que o conselho do especialista em orientação infantil que diz como criar filhos mesmo que ele não tenha nenhum filho próprio para criar.

---

21. Doubleday & Company, Nova York.

O QUE É ISSO? Essa foto fascinante não é uma ilustração. É uma foto verdadeira e nítida de um tema familiar. Você consegue ver?

> O objeto da foto é uma vaca. A cabeça da vaca está olhando diretamente na sua direção, a partir da parte central da foto; suas duas orelhas pretas estão emoldurando seu rosto branco. A foto é muito usada pela Fundação do Programa de Extensão em Optometria para demonstrar a diferença entre *vista* e *visão*. Qual é a diferença? A visão, segundo a Fundação, é a habilidade de atribuir significado ao que se vê.
> A foto também pode surpreendê-lo com um fato de extrema importância – há uma diferença entre *ler* e *compreender*. Qual é a diferença? *Compreender* é a capacidade de absorver *significado* a partir da leitura – depreender toda a força da palavra escrita. Quanto mais você for capaz de fazer isso, mais valioso será o tempo que passará com este livro.
> Você provavelmente não viu a vaca imediatamente na imagem quando a olhou pela primeira vez. Não é provável, portanto, que tenha perdido muito do *significado* nestas páginas após apenas uma leitura? Este livro deve ser relido e estudado até que sejam absorvidas *todas* as suas boas ideias.

LIVROS DE DESENVOLVIMENTO PESSOAL MUDARAM SUA VIDA

E é por isso que me senti autorizado a escrever este livro – pois tenho a experiência, o conhecimento e o *know-how* para motivar pessoas de todas as profissões.

Uma forma de motivar pessoas é apresentando-lhes um livro de desenvolvimento pessoal. Eu *romantizo* o valor de qualquer livro que recomendo contando histórias verdadeiras de como tal livro ajudou outras pessoas. Essa técnica tem sido muito eficaz para tocar garotos e garotas adolescentes no Clube de Garotos, em escolas secundárias, faculdades e instituições penais.

Francis McKay é um assistente social na Casa de Correção de Chicago. Ele faz o curso *AMP – A ciência do sucesso,* e nele aprendeu como motivar outras pessoas por meio de livros de desenvolvimento pessoal. Aqui está parte de uma carta que me inspirou quando a recebi de um dos detentos adolescentes há pouco tempo. Esse garoto havia aprendido a associar e assimilar os princípios que poderiam mudar o rumo da sua vida para melhor:

> Senhores:
>
> Acabo de ler o seu livro *Atitude Mental Positiva*. Quero lhes agradecer por escrever um livro desses...
>
> Posso dizer com sinceridade que esse livro me inspirou e mudou minha forma de pensar. Ele me mostrou que "Onde há vontade, há possibilidade".
>
> Vejam, tenho dezenove anos e sou a "criança problemática" que vocês mencionaram no livro, e, ao olhar no espelho, vejo essa criança ali. Também já me orgulhei de ficar conhecido como o cara mais durão da gangue. Por causa desse orgulho, do meu ambiente e das

minhas companhias, fui mandado diversas vezes para reformatórios e instituições como essas nos últimos quatro anos.

Sei que agora é hora de crescer, deixar de lado essas companhias e fazer algo por mim mesmo...

Daqui a alguns anos, quando eu estiver trabalhando e vivendo como um ser humano respeitável deve viver, vou olhar para trás e me lembrar do assistente social e dos livros. Sei que posso fazer o bem e, com a ajuda de Deus, é isso que vou fazer.

Minha filosofia de vida costumava ser "Viva o hoje, esqueça o amanhã". Minha perspectiva mudou para "Viva para o amanhã".

Nunca vou me esquecer destas palavras, pois acredito nelas.
Tudo que a mente pode conceber e acreditar, ela pode conquistar.

O DISCIPLINADOR COM UM CORAÇÃO GENEROSO

Arthur Ward é o superintendente da Casa de Correção de Chicago. Ele é conhecido como o disciplinador com um coração generoso.

Mais de um terço dos detentos é alcoólatra – assim como o próprio Ward. Mas, inspirado por sua esposa e pelo padre de sua paróquia, ele desenvolveu a coragem e a força de dizer "Não" às tentações da bebida. E, por ser mestre de si mesmo, ele sabe como inspirar e instruir aqueles que sofrem dos mesmos problemas que ele superou.

Ele sabe que a *esperança* é o ingrediente mágico da motivação, então criou uma filosofia chamada de *Operação Esperança*. Quando saem da Casa de Correção, as pessoas se orgulham de sua aparência e da filosofia inspiradora em seus corações. Na *Operação Esperança*, cada um recebe roupas adequadas e uma oportunidade de aprender os princípios do sucesso no curso *AMP – A ciência do sucesso* e outros materiais motivacionais.

Infalível

"Acho que se poderia dizer que o tema da *Operação Esperança* tem sido a história da minha vida. Para mim, ele simboliza as verdadeiras riquezas da vida – a recompensa que recebemos ao ajudar pessoas a jogar o jogo da vida da maneira mais plena possível", Ward diz.

E o que as pessoas dizem sobre isso? Aqui estão algumas respostas para a pergunta: "Quais são as verdadeiras riquezas da vida?".

General David Sarnoff:
"Embora seja verdade que é possível encontrar a paz, a felicidade e a serenidade quando se está na base da pirâmide, também é verdade que não é possível desfrutar da sensação de realização. O sucesso, no sentido amplamente aceito do termo, significa a oportunidade de experimentar e obter o máximo das forças que estão dentro de nós."

John A. Notte Jr.
Governador do estado de Rhode Island and Providence Plantantions:
"Parece-me que a 'verdadeira riqueza' é a alma, e ela vem de uma boa vida familiar, da força interior que vem da nossa fé praticada com intenção e da manutenção de ideais elevados no comportamento do dia a dia."

Price Daniel
Governador do estado do Texas:
"Nosso sucesso na vida depende totalmente do que fazemos na Terra pelos nossos semelhantes. Esse é o teste que o Senhor diz que será aplicado no dia do julgamento final. Em Suas palavras, 'Em verdade vos digo que, quando o fizestes a um destes meus pequeninos irmãos, a mim o fizestes'."

Mark O. Hatfield
Governador do estado de Oregon:
"Imediatamente me veio à mente que essas riquezas não são encontradas em nada material. Nem mesmo são encontradas em uma filosofia, mas sim em uma Pessoa. São Paulo escreveu à Igreja em Colossenses: 'Em Jesus Cristo estão ocultos todos os tesouros da sabedoria e do conhecimento'. Descobri em minha vida pessoal que isso é verdade. Em meu relacionamento com essa Pessoa, são encontradas as verdadeiras riquezas – o tesouro da sabedoria de Deus. Tudo que tem valor nasce disso."

Irmã Joan Margaret
Escola St. Vincent para Crianças com Deficiências
Port-au-Prince, Haiti:
"Você perguntou sobre as 'verdadeiras riquezas da vida'. Muito simples: amar Deus e amar os nossos semelhantes. É o que diz a Bíblia. Acredito firmemente que 'Tudo o que for verdadeiro, tudo o que for nobre, tudo o que for correto, tudo o que for puro, tudo o que for amável, tudo o que for de boa fama, se houver algo de excelente ou digno de louvor, pensem nessas coisas' (Filipenses, 4:8)."

Não sei qual é a idade da irmã Joan Margaret. Não sei como ela é, mas sei que ela encontrou as verdadeiras riquezas da vida. Essa mulher americana está fazendo tanto por crianças deficientes haitianas que se tornou para mim um símbolo de todas as boas mulheres que dedicam seu amor a serviço da igreja. Ela tem muito amor pelas pessoas e muita piedade pelos doentes e deficientes.

Outra garota americana que encontrou as verdadeiras riquezas da vida em Port-au-Prince é Lavinia Williams Yarborough, uma famosa dançaria que comanda o Instituto Haitiano de Dança.

Infalível

PORQUE EU AMO MEU POVO

Lavinia recentemente me escreveu: "Comecei a trabalhar com a Irmã Joan Margaret em 1954, durante o furacão Hazel. Ela fez um grande trabalho, indo a várias partes do Haiti para ajudar a levar comida e roupas às vítimas. Em uma dessas viagens, ela encontrou uma garotinha de seis meses que era a única sobrevivente de seu vilarejo. Ela trouxe a criança a Port-au-Prince e cuidou dela até que se curasse. A menina estava doente e morrendo de fome.

"Disse à Irmã que começaria a passar exercícios infantis quando ela fizesse três anos, para desenvolver seu corpo. Ela era muito pequenina para a sua idade, mas você deveria vê-la agora – uma linda criança, normal e saudável, que continua dançando.

"Também trabalho com surdos e mudos. Um dos meus aprendizes em St. Vincent é um surdo-mudo que também dá aulas de dança na escola da Irmã Joan. Os alunos são os mudos mais talentosos que dançam nos meus espetáculos. Ninguém diria que eles são surdos ou mudos, pois nunca fiz distinção entre eles e as crianças sem deficiência. Atualmente tenho quatro estudantes mudos, todos eles incríveis. Também trabalho com as vítimas de pólio que a Irmã Joan ajudou a recuperar. Essas crianças estudam balé para fortalecer seus membros. Também tenho outras crianças que vêm da escola St. Vincent."

PEQUENAS DOBRADIÇAS QUE ABREM GRANDES PORTAS

Este capítulo é uma revisão de todo o livro. Nele você perceberá as temáticas subjacentes perpassando-o por completo. O destaque foi dado às verdadeiras riquezas da vida. Pois, ao procurá-las, você também poderá encontrar riqueza financeira e sucesso.

Em um discurso, o governador Price Daniel, do Texas, deu o seguinte exemplo: "Perguntaram a um líder sul-americano que veio nos visitar há muitos anos por que o progresso material da América do Norte superou tanto o da América do Sul, ao que ele respondeu: *'As pessoas que se estabeleceram na América do Norte foram em busca de Deus. Quem veio para a América do Sul estava em busca de ouro'*".

A esposa de um dos meus gerentes comerciais em Waco, Texas, chamada Naomi Nyberg, está escrevendo um livro intitulado "Pequenas dobradiças que abrem grandes portas". O título ficou ressoando em minha mente como uma melodia, então pedi permissão a Naomi para usá-lo como um capítulo ou subtítulo, e ela, muito graciosa e animada, deu-me o privilégio de compartilhar esse pensamento com você.

Então, ao final de cada capítulo, você viu as *Pequenas dobradiças que abrem grandes portas*. A porta aberta simboliza a fé em seus semelhantes, a sua visão do mundo exterior... e no interior está o esconderijo, tão óbvio que não pode ser visto.

O ESCONDERIJO

Há uma antiga lenda hindu que diz que, quando os deuses estavam criando o mundo, questionaram-se: "Onde podemos esconder os tesouros mais preciosos de forma que não possam ser perdidos? Como podemos escondê-los para que os homens gananciosos e avarentos não os roubem nem os destruam? O que podemos fazer para garantir que essas riquezas sejam passadas de geração a geração, em benefício de toda a humanidade?".

Então, em toda a sua sabedoria, eles escolheram um esconderijo que era tão óbvio que jamais seria visto. E lá colocaram as verdadeiras riquezas da vida, dotadas do poder da renovação perpétua. Nesse es-

Infalível

conderijo, esses tesouros podem ser encontrados por qualquer pessoa, em qualquer lugar, que siga o *Sistema de sucesso Infalível*.

PEQUENAS DOBRADIÇAS QUE ABREM GRANDES PORTAS

As verdadeiras riquezas da vida
Estão escondidas
Nos corações e nas mentes dos homens

Sobre o autor

W. Clement Stone iniciou sua meteórica carreira em vendas como vendedor de jornal em sua cidade natal, Chicago. Aos vinte anos, estabeleceu a própria organização comercial de seguros de saúde e contra acidentes. Teve tanto sucesso nesse empreendimento que deixou de lado sua ambição de atuar com Direito e se concentrou no crescimento dos negócios. Além de outras atividades, foi presidente do Clube de Garotos de Chicago e membro da diretoria do Clube de Garotos dos Estados Unidos. Também foi membro da direção do Acampamento Nacional de Música e da Academia de Belas Artes de Interlochen. Stone foi presidente do conselho da Fundação Americana de Religião e Psiquiatria e da Fundação para o Estudo dos Ciclos.

W. Clement Stone foi presidente da Combined Insurance Company of America, da Combined American Insurance Company, da First National Casualty Company e da Hearthstone Insurance Company de Massachusetts, além de editor da revista *Success Unlimited* e diretor da empresa Alberto-Culver. Escreveu, com Napoleon Hill, o livro *Atitude Mental Positiva* (Citadel Editora, 2015).

Livros para mudar o mundo. O seu mundo.

Para conhecer os nossos próximos lançamentos
e títulos disponíveis, acesse:

🌐 www.**citadel**.com.br

f /**citadeleditora**

📷 @**citadeleditora**

🐦 @**citadeleditora**

▶ Citadel - Grupo Editorial

Para mais informações ou dúvidas sobre a obra,
entre em contato conosco pelo e-mail:

✉ contato@**citadel**.com.br